# Dear Lea

## Drop Everything And Read

Nagamoto Yoshihiro
Machida Junko
Yagi Monako
Ian E. Ellsworth

# はじめに

　現在、日本の英語教育界でも、CLT（Communicative Language Teaching）という、母語を一切使わずに英語でコミュニケーション活動を行う教授法が注目されています。外国語学習には、『若ければ若いほどいい』（The younger, the better.）という言語習得観があり、中学・高校の授業でも対人コミュニケーションを重視すべきだと指導要領で謳われています。しかしながら、何語であっても、母語として習得できる『臨界期』（critical period）を過ぎてしまった以上、つまり、日本語が脳内に組み込まれてしまった以上、それと同じプロセスで英語を習得できる状況は、生物学的にも社会環境的にも望めません。

　外国語能力は、大別して、『音を掴み取る力』と『意味を掴み取る力』から構成されています。対人コミュニケーションでは、両者を同時に行う必要がありますが、読み書きを含めた総合的な能力向上のためには、「なぜそうなるのか？」という問に、絶えず理論的解答を出していかなければ、非生活言語の運用能力は低いレベルに留まってしまいます。人類は歴史の中で、同一の言語システムによって包摂された言語共同体を形成し、この共同体に生まれ育った者は、合意された意味（meaning）を持った記号（symbol）を、合意された規則（grammar）に則って操作することによって、思考活動を行ってきました。したがって、非母語話者は、学習する外国語の構造を母語と意識的に対比させながら学ばなければ、『前に進む』ことができないのです。とりわけ、文字、音韻レベルから文法体系（つまりは、思考体系）に至るまで異なる日本語と英語においては然りです。

　但し、本書は、従来の機械的暗記学習法と文法訳読式を盲信するものではありません。Reading Sections では、シャドーイングや歌を通じて英語の音声・リズムに慣れ親しみ、また、英文を前から順次ブロック（意味の塊）で読み下していくという母語的スタイルを学んでもらいます。また、多様なトピックや種々のタスクも用意しており、楽しみながら学習できる工夫もしています。Grammar Sections では、紙幅の関係上、姉妹書 Dear Class に収めることができなかった文法項目を取り上げ、意味深な例文と楽しいイラストを交えながら、できる限りその文法項目のコアイメージ（core image）を伝えるようにしました。一人でも多くの学生にとって、本書が『第二言語習得への登山口』になってくれることを願っています。

　最後になりましたが、いつもながらの著者たちの我儘を忍耐強く聞き入れてくださった南雲堂編集部加藤敦氏と、"Dear Class" に引き続き、著者の思い出や心象風景（例文）を見事にイラストで描いてくださった『ゆかわれい』様のお力なしには、本書の完成は叶いませんでした。この場をお借りして、心より感謝申し上げます。

令和元年 10 月<br>著者代表　永本義弘

## Table of Contents

### <Reading Sections>

Unit 1  Sowing Seeds of Peace, Education & Hope: Malala　　　　　4

Unit 2  Sowing Seeds of Food Savings: OzHarvest Market　　　　　8

Unit 3  Sowing Seeds of Safety: An Eye on Crime　　　　　12

Unit 4  Sowing Seeds of Work: Work Balance　　　　　16

Unit 5  Sowing Seeds of Exercise: Sport BMX and Urban Fun?　　　　　20

Unit 6  Sowing Seeds of Happiness: Happiness　　　　　24

Unit 7  Sowing Seeds of  Entertainment: Sports and Games　　　　　28

Unit 8  Sowing Seeds of Medical Science Health: Medical Science　　　　　32

Unit 9  Sowing Seeds of Psychology: Resilience　　　　　36

Unit 10  Sowing Seeds of Facts: Efforts to Flag Fake-news　　　　　40

Unit 11  Sowing Seeds of Intelligence: Brain Development　　　　　44

Unit 12  Sowing Seeds of Friendship: Yosegaki Hinomaru　　　　　48

Unit 13  Sowing Seeds of Humanity: A Hero　　　　　52

### <Grammar Sections>

Unit 1  英語は語句の配置が大切。その配置を決めるのが動詞！（1）　　　　　58

Unit 2  英語は語句の配置が大切。その配置を決めるのが動詞！（2）　　　　　62

Unit 3  基本動詞は英語表現の泉（1）　　　　　71

Unit 4  基本動詞は英語表現の泉（2）　　　　　79

Unit 5  助動詞は面倒？ でも、感情表現の宝庫！（1）　　　　　87

Unit 6  助動詞は面倒？ でも、感情表現の宝庫！（2）　　　　　98

Unit 7  比べてみよう！―比較表現（1）―　　　　　105

Unit 8  比べてみよう！―比較表現（2）―　　　　　110

Unit 9  準動詞を知れば表現力がグーンとアップ！―to V ～の世界―　　　　　118

Unit 10  準動詞を知れば表現力がグーンとアップ！―～ ing の世界―　　　　　124

日本語の指示の所は日本語で、英語の指示の所は英語で答えましょう。
★： Level 1（初級者向け）
★★： Level 2（中級者向け）

**音声ファイル 無料 DL のご案内**

このテキストの音声を無料で視聴（ストリーミング）・ダウンロードできます。自習用音声としてご活用ください。
以下のサイトにアクセスしてテキスト番号で検索してください。

**https://nanun-do.com**　テキスト番号［ 512026 ］

※ 無線 LAN（WiFi）に接続してのご利用を推奨いたします。

※ 音声ダウンロードは Zip ファイルでの提供になります。
お使いの機器によっては別途ソフトウェア（アプリケーション）の導入が必要となります。

## *Warm up*

### Task 1 ★

あなたが敬服する若い世代の人の名前を1人書きましょう。

### Task 2 ★★

Write down the name of 1 young person you admire and the reason why you admire him or her in English.

I admire _____

Because _____

## *Listening & Short Conversation*   02

**Someone to Admire**

A: Recently I was so moved during a speech. I really admire her.

B: Who is she?

A: Malala. Of course you know her, right?

B: Yeah, I remember she said, "One child, one teacher, one book and one pen can change the world."

A: Yes, it really touched my heart.

### Task 1

音声を聴き、以下の練習をしましょう。

#### *One-Point Listening:*

[ r ] 日本人の英語発音の弱点、子音 [r] の発音

[ r ] 音で始まる4つの単語を探し、まるで囲みましょう。

### Task 2

Then, with your partner, try a role-play dialogue. Use eye contact and try to make your conversation as natural as possible.

## Reading Tips

**Sense Group Reading & Shadowing**

　英文構造は主語と述語 ( 動詞 ) を基本に 5 文型で成り立っています。主語やその行動（状態）は文の最初に来ます。単語を一語一語読むのではなく、いくつかの語を同じ意味のまとまり（意義群）毎に理解する事で、リーディングがより効果的で速くなります。

　シャドゥイングは（同時か少し遅れて音声に合わせて読む）、英語の自然な流れやピッチ、リズムやイントネーション、言語の他の音声面を認識することができ、一回読むだけでも英文をより理解しやすくする効果があります。

## *Grammar*　　SV, SVC, SVO ＋ for 　(Grammar Sections 参照)

日本語に合うようにペアで正しい文章に並べ替えましょう。
→早く終わったペアは Part 2 Grammar Sections で正解をチェックしましょう。

1. (  1. sadly　  2. Yoshiko　  3. danced　   4. on the stage ) yesterday.

   昨日、（佳子は舞台で悲しげに舞いました。）

   _____

2. (  1. is　  2. at the next Olympic Games　   3. my dream
   4. a gold medal　  5. to get ).

   （私の夢は、次のオリンピックで金メダルを取ることです。）

   _____

3. (  1. that folk song　  2. sang　  3. for her daughter　  4. Sayuri
   5. Atsuko ).

   （敦子は娘の小百合にその歌を歌ってあげました。）

   _____

## Malala

On October 9, 2012, in the Swat Valley of Pakistan, a masked gunman got on a school bus taking young girls home from school. The Taliban gunman demanded to know which student was Malala; he then shot the 15-year-old girl in the face, neck and shoulder.

What did Malala do that caused the masked gunman to shoot her? She went to school and insisted that all girls be educated in Taliban-held areas of Pakistan. For Malala's efforts to promote education for girls, the Taliban decided to kill her.

But Malala didn't die. Instead, she received medical treatment in both Pakistan and England. After a series of operations and months of rehabilitation, Malala returned to school in March 2013. She felt more determined not only to continue her education, but also to inspire other girls to go to school.

So with the help of her father, Malala started the Malala Fund in 2014, which "champions every girl's right to 12 years of free, safe, quality education." The fund works in places like South Asia, the Middle East and West Africa "where the most girls miss out on secondary education."

News of Malala's strength, courage, and love of education and peace traveled quickly. And two years after being shot, she became the youngest winner of the Nobel Peace Prize.

Malala continues to promote education for girls and to fight for peace around the world. She will do so as a student at Oxford University.

1. a masked gunman 覆面の武装犯
2. demanded 要求した
3. shot 撃った
4. caused 原因となった
5. insisted 主張した
6. Taliban-held areas of Pakistan パキスタンのタリバン支配下にある地域
7. efforts 努力
8. instead それどころか
9. received 受けた
10. medical treatment 治療
11. a series of 一連の
12. operations 手術
13. not only ~ but also ～だけでなくまた…
14. right 権利
15. quality 質の高い
16. fund 基金
17. strength 強さ
18. courage 勇気

## Task 1　Key Vocabulary（動詞）

Reading 1 の英語の意味に合う日本語の動詞や動詞句を下から選び、（　）内に数字を入れましょう。

1. shoot（　）　2. demand（　）　3. cause（　）　4. insist（　）

5. promote（　）　6. decide（　）　7. fight（　）

8. continue（　）　9. inspire（　）　10. miss out on（　）

1. 続ける　2. 主張する　3.（言え）と要求する　4. 戦う　5. 鼓舞する

6. 促進する　7. 決心する　8. 原因となる　9. 撃つ　10. ～のチャンスを逃す

## Task 2

音声を聞きながらシャドウイング（同時か少し遅れて読む）しながら、息継ぎやポーズに、スラッシュ（斜めの線）を入れましょう。

## Task 3

ペアでじゃんけんをし、勝った人がその sense group（意味のまとまり）毎に音読し、敗者はリピートします。そしてペアで sense group（意味のまとまり）毎に直訳しましょう。

## Task 4

Reading を読んで以下の問題に答えましょう。（　　　）内に適当な単語を一語を入れて英文を完成させましょう。

1. What happened on October 9, 2012, in Pakistan?
   A Taliban gunman (　　　　　) Malala.
2. Why was Malala shot by a masked gunman?
   For Malala's efforts to (　　　　　) education for girls.
3. Which group did the masked gunman belong to?
   He belonged to the (　　　　　).
4. When did Malala start the Malala Fund?　She started it in (　　　　　).
5. What prize did she win?　She got the (　　　　　)(　　　　　) Prize.

## *Further Activities*

### Task 1

次の 2 つの言葉は誰によるものですか。写真を参考にして答えてみましょう。

1. Peace begins with a smile.　What can you do to promote world peace?　Go home and love your family.

2. My grandfather had a dream that his four little children will not be judged by the color of their skin, but the content of their character.

### *Warm up*

**Task 1** ★

2018年で1人当たりの食品の残り物を一番捨てている国はどこですか。

a. America    b. Japan    c. China    d. The Netherlands      (     )

**Task 2** ★★

Why do you think so?

_____

### *Listening & Short Conversation*  05

---

**What's for Lunch?**

**1A:** You're right. But I don't have the time.

**2A:** Where are you eating lunch today?

**3A:** It must be nice to have someone to make you a bento. I'm going to the convenience store to get a sandwich.

**4B:** Actually, I made my own bento. It's just rice and some leftover curry and vegetables from my dinner last night. You should try to make one.

**5B:** In the classroom. I brought a bento.

**6B:** You're going to spend 10 minutes waiting in line at the convenience store. You could make your own sandwich at home in less time!

---

**Task 1**

音声を聴き、会話を正しい順番に直して( )内に番号を書きましょう。

(     ) → (     ) → (     ) → (     ) → (     ) → (     )

## One-Point Listening:

🎧 06

[ *l* ] の音 日本人の英語発音の弱点、[ *l* ] の発音

下線部 [ *l* ] 音に気を付けながら音声の後について次の単語を発音してみましょう。

**lunch    classroom    actually    leftover    last    line    less**

### Task 2

Then, with your partner, try a role-play dialogue. Use eye contact and try to make your conversation as natural as possible.

## Reading Tips

### Scanning

　スキャニングは読解の為の一つの重要なスキルです。スキャニングとは、主題文に相当し得るキーワードや句や表現に注目したり、特化した詳細や、情報の断片に目を通すことです。

　イタリック体や引用符のついた語や句；下線部や太文字の箇所；数字や固有名詞；文字入りあるいは数字入りの情報を探しましょう。(ひときわ目立つものは何でも) これらは本文が述べている内容をより良く理解するのに役立ちます。

## *Grammar*    **SVO, SVC, SVOO**    (Grammar Sections 参照)

### Task 1

日本語に合うようにペアで正しい文章に並べ替えましょう。
→早く終わったペアは Part 2 Grammar Sections で正解をチェックしましょう。

1. ( ₁. make    ₂. I'll    ₃. tonight    ₄. supper ).
   (今夜は、私が夕食を作ります。)

2. ( ₁. happy    ₂. when    ₃. Masafumi    ₄. eating sushi    ₅. looks ).
   (寿司を食べているとき正史は幸せな表情をしています。)

3. ( ₁. her husband    ₂. Yoshiko    ₃. teriyaki chicken    ₄. made
   ₅. last night ).
   (昨夜、佳子は照り焼きチキンを夫に作ってあげました。)

🎧 07, 08

## OzHarvest Market

Much of the food seen on supermarket shelves and served at restaurants goes to waste.

One supermarket in Australia, OzHarvest Market, hopes to reduce that waste and also help people in need. OzHarvest
5 Market is a "rescued food supermarket." This market accepts food that would usually go to waste. Supermarkets, bakeries, restaurants, cafes, and food distributors in the Sydney area regularly donate food that is past its "display by date." This food can't be sold but is perfectly safe to eat. OzHarvest
10 Market also rescues surplus products that result from "change[s] in packaging or incorrect orders." Normally, these products end up as waste. At OzHarvest Market, you see the same kinds of items that you'd see in a regular supermarket. However, the food and products in this unique market
15 typically vary from week to week, depending on what has been donated or rescued.

With the donated items, OzHarvest Market seeks to help those in need. It operates under a "take what you need, give what you can" philosophy. For those with no money,
20 they can take the food they need to live. If shoppers have some extra money, they are encouraged to donate the cash to OzHarvest Market. In this way, OzHarvest Market tries to help out those most in need of food.

Since its opening in April 2017, the people of OzHarvest
25 Market continue to try to reach their goals of providing free food for those most in need, reducing food waste, and redistributing extra food.

| | |
|---|---|
| 1. shelves | 棚 |
| 2. served | 出された |
| 3. waste | 廃棄する |
| 4. reduce | 減らす |
| 5. distributors | 流通業者 |
| 6. donate | 寄付する |
| 7. display | 陳列 |
| 8. surplus products | 余剰の製品 |
| 9. incorrect orders | 誤った注文 |
| 10. items | 品物 |
| 11. vary from | 異なる |
| 12. depending on | ～によるので |
| 13. philosophy | 哲学 |
| 14. are encouraged to | 奨励される |
| 15. continue to | ～し続ける |
| 16. redistributing | 再分配すること |

## Task 1　Key vocabulary（副詞）

Reading 2 の文中の "ly" がつく副詞を 5 個見つけて丸で囲み、意味を書きましょう。

## Task 2

音声を聞きながらシャドウイング（同時か少し遅れて読む）しながら、息継ぎやポーズに、スラッシュ（斜めの線）を入れましょう。

## Task 3

ペアでじゃんけんをして、勝った人がその sense group（意味のまとまり）毎に音読して、負けた人はリピートしましょう。そしてペアで sense group 毎に直訳しましょう。

## Task 4

Reading を読んで以下の問題に答えましょう。
（　）内に適切な単語を一語入れて英文を完成させましょう。

1. According to the passages, much food goes to (　　　　　) in supermarkets or at restaurants.

2. OzHarvest Market is a (　　　　　) food supermarket.

3. In OzHarvest Market, (　　　　　) products are sold to reduce waste.

4. OzHarvest Market operates under a philosophy that people take what they (　　　　) to live, give what they can.

5. If people have some extra money, they can (　　　　　) the cash to OzHarvest Market.

## *Further Activities*

オーストラリアの食文化で 1 つだけ違うものは何でしょう。ペアで見付けましょう。

1. Meat pie　2. Seafood　3. Aussie beef　4. Roo meat

5. Wrap　6. Nutella　7. Vegemite　8. Cereal

9. Pavlova　10. Chicken Palm　11. Ajillo

## *Warm up*

### Task 1 ☆

世界最古の自販機はどこにありましたか？

a. 古代ローマ  ancient Rome          b. 古代ギリシャ  ancient Greece
c. 古代エジプト  ancient Egypt          (     )

### Task 2 ☆☆

Which country has the largest number of monitoring cameras? And how many of them were installed there in 2019?

## *Listening & Short Conversation*          09

---

**Here's looking at you.**

(At a coffee shop)

A: Why don't we take a picture?

B: Sure. I'll take your picture first.

A: Now, it's your turn.

(Later at a party)

C: I know you and Akane were at a coffee shop during class the other day.

B: How do you know that?

C: Because your face was reflected in her eyes. I mean I found her picture on her Facebook page.

B: Oh, cheers to her eyes!

---

### Task 1

音声を聴き、以下の練習をしましょう。

## One-Point Listening:

Schwa（シュワ）[ə] ＋ [ː] の発音（Jones 式）

日本人が聞き取りにくい英語の中で一番多く出てくる母音、曖昧母音 [ə] を伸ばす。

**Example: y<u>our</u>**

[əː] 音が含まれる 10 個の単語を探して、丸で囲みましょう。

**Task 2**

Then, with your partner, try a role-play dialogue.　Use eye contact and try to make your conversation as natural as possible.

## Reading Tips

**Topic Sentences & Main Ideas（各段落毎の中心となる文や、主旨）**

各段落には 1 つの中心となる文と、それをサポートするいくつかの文章が置かれています。ひとつの Topic Sentence (TS/ 話題文 ) は各段落の中で最も重要な考えを表しています。他のすべての文は主旨 (Main Idea) を説明したり発展させたりして補っています。TS は普通は各段落の一番最初か二番目くらいに置かれます。

## *Grammar*　**SV, SVO**　　　　(Grammar Sections 参照 )

日本語に合うようにペアで正しい文章に並べ替えましょう。
→早く終わったペアは Part 2 Grammar Sections で正解をチェックしましょう。

1. ( ₁. the police　₂. very carefully　₃. looked　₄. into the incident ).

   (警察は事件をとても詳細に調べました。)

   _____

2. ( ₁. tried　₂. to Atsuko　₃. to tell the truth　₄. Keishiro ).

   (景史郎は敦子に真実を話そうとした。)

   _____

3. ( ₁. A kitten　₂. a big　₃. bit　₄. dog ).

   (子猫が大きな犬に噛みつきました。)

   _____

## An Eye on Crime

To catch criminals takes hard work from the police. Fortunately, technology may make the police's job a little easier.

Koichi Naniwa, a Tokushima Prefecture police officer, was approached with a special request. He received a photograph of a crime victim's face. The criminal had used a smartphone to take the picture. Investigators asked Mr. Naniwa to study the photo for "… something like a human shadow."

Mr. Naniwa usually worked on images reflected in mirrors, but this time he had a much more challenging job. The investigators asked him to analyze the reflections in the victim's pupils, the black spots in the center of your eyes. The investigators hoped he could identify the criminal using the reflections in the victim's eyes. Mr. Naniwa got to work, unsure he would be able to find anything.

To reveal the criminal, Mr. Naniwa zoomed in on the reflection. With the help of image correction, he could "… see a reflection of the person holding a smartphone, with an outline of their face and hairstyle."

Later, Mr. Naniwa's boss told him that his discovery was the "top evidence."

Thanks to the efforts of Mr. Naniwa, police have more ways of catching criminals.

1. criminals 犯罪者
2. hard work 大変な労力
3. fortunately 幸いにも
4. was approached with ～を持ち込まれた
5. investigators 捜査官
6. images 像
7. reflected 反射した
8. challenging やりがいのある
9. asked 人 to ～ 人に～を依頼した
10. analyze 分析する
11. zoomed 拡大した
12. outline 輪郭
13. boss 上司
14. discovery 発見
15. evidence 証拠
16. efforts 努力

**Task 1　Key vocabulary　クロスワードパズル ( 動詞 )**

Reading 3 の文中の動詞の意味を答え、下線部の文字を使ってできる一つの単語を考えましょう。

1. catch　2. take　3. make　4. approach　5. re<u>c</u>eive　6. use
7. ask　8. study　9. w<u>o</u>rk　10. ref<u>l</u>ect　11. have　12. a<u>n</u>alyze
13. h<u>o</u>pe　14. identify　15. find　16. r<u>e</u>veal　17. zoom　18. see
19. <u>h</u>old　20. <u>t</u>ell　21. challen<u>g</u>e

**Task 2**

音声を聞きながらシャドウイング（同時か少し遅れて読む）しながら、息継ぎやポーズに、スラッシュ（斜めの線）を入れましょう。

**Task 3**

ペアでじゃんけんをして、勝った人がその sense group（意味のまとまり）毎に音読して、負けた人はリピートしましょう。そしてペアで sense group 毎に直訳しましょう。

**Task 4**

Reading を読んで以下の問題に答えましょう。
（　）内に適切な単語を一語入れて英文を完成させましょう。

1. How did Mr. Naniwa identify the criminal?
   He identified him using the (　　　　　　) in the victim's eyes.

2. The word pupils in line 12 is closest in meaning to ... in Japanese.
   (　　　　　).

3. What did the investigators ask Mr. Naniwa to analyze?
   They asked him to analyze the reflection in the victim's (　　　　　).

4. What did Mr. Naniwa's boss tell him later?
   He told him that his discovery was the "top (　　　　　)".

5. What's the main idea of the article?
   (　　　　　) may make the police's job a little (　　　　　).

*Further Activities*

イギリスのニューカッスル大学の共有スペースに、無料の
コーヒーポットと、自主的に入れる代金箱を設置した。
ポットの上に " 目 " の写真を貼ったら回収率は何倍に増え
と思いますか？

a. **no change**　　　b. **twice**　　　c. **three times**

The eyes are the window of the soul.

## Unit 4 — Sowing Seeds of Work / Work Balance

### Warm up

**Task 1** ★

女性の管理職の多い国はどこですか。

a. Laos  b. Japan  c. America  d. Russia

**Task 2** ★★

What percentage of company presidents are women in Japan?

### Listening & Short Conversation

 12

---

**Part-time Work, Full-time Stress**

A: You look tired.

B: Yeah, I had to work last night.

A: At the convenience store?

B: Yeah, one of my coworkers called in sick. So, I had to cover his shift. I didn't get off work until midnight.

A: That's tough. It sounds like a *black baito*?

B: It probably is. They're always asking me to stay late or to work extra.

A: Well, the bookstore where I work closes at 9:00 p.m. I'm usually home by 10:00. And they never ask me to do overtime.

B: Are they hiring? You know I'm a good worker.

A: I'll talk to my boss and see what she says.

B: Thanks.

---

### Task 1

音声を聴き、以下の練習をしましょう。

## One-Point Listening: 短母音［ʌ］の発音

［ʌ］音が含まれる単語を 4 ～ 6 行目から探して、丸で囲みましょう。

### Task 2

Then, with your partner, try a role-play dialogue.  Use eye contact and try to make your conversation as natural as possible.

## Reading Tips

### Making a Summary （要約作成）

　サマリー(読解文の主題を表現した簡潔な文)を書くことは、読解力や自己表現力養成にはとても良い方法です。序論のパラグラフに特に注意を払い、サマリーを書きましょう。各段落の話題文を見つけ、主な詳細を理解するために、5 W ＋ 1H - Questions（誰が、何を、なぜ、いつ、どこで、どんなふうに）を自問自答するというテクニックを使ってみましょう。

## Grammar　　SVC, SVOC　　(Grammar Sections 参照)

日本語に合うようにペアで正しい文章に並べ替えましょう。
→早く終わったペアは Part 2  Grammar Sections で正解をチェックしましょう。

1. ( ₁. an accountant　₂. Hiroshi　₃. at Junichi's office　₄. was ).
（博は準一の事務所の会計士でした。）

2. ( ₁. during　₂. kept　₃. Mr. Sumikawa　₄. the meeting　₅. falling asleep).
（隅川先生は、会議の間眠ったままでした。）

3. ( ₁. Yasuo　₂. Masafumi　₃. attend　₄. made　₅. the meeting ) in Osaka.
（康男は正史を大阪での会議に出席させました。）

## Work Balance

Many workers in Japan find it difficult to take long holidays. Pressure to take only short vacations may come from bosses, coworkers, or even the company's work culture. Sixty-nine-year-old Joaquin Garcia of Spain did not face
5 similar pressure.

Mr. Garcia worked for the local government at a water treatment plant for 20 years. He received an annual salary of US$41,500. During his last six years as a local government worker, he got his usual salary, but he never showed up to the
10 plant or did any work!

Mr. Garcia's coworkers believed "the plant was being overseen by local authorities because they hadn't seen [him] in so long."

Why did Mr. Garcia simply stop showing up for work?
15 Well, according to his lawyer, Mr. Garcia faced bullying at the plant. Mr. Garcia also believed that "there was no work to do." He claimed that he didn't report the bullying because he was afraid he might get fired; so, he stopped going to the plant.

20 The deputy mayor finally discovered that Mr. Garcia had been receiving a salary yet not working. The deputy mayor had wanted to give Mr. Garcia an award "for his 20 years of loyal service."

At the plant, the deputy mayor searched for Mr. Garcia
25 and noticed that his office was vacant.

After a quick investigation, the deputy mayor uncovered the deception.

The government took Mr. Garcia to court, hoping to recover some money. He was found guilty and ordered to
30 pay a fine of US$30,000. Mr. Garcia has since retired and hopes to overturn the court's decision. Perhaps he should have remembered this proverb: an honest day's work for an honest day's pay.

1. pressure プレッシャー
2. coworker 同僚
3. face 直面する
4. similar 同じ
5. local government 地方自治体
6. water treatment plant 水処理施設
7. showing up 姿を現すこと
8. bullying いじめ
9. claimed 主張した
10. get fired クビになる
11. the deputy mayor 副市長
12. noticed 気づいた
13. vacant 空っぽの
14. investigation 調査
15. uncovered 暴露した
16. deception 誤魔化し
17. guilty 有罪
18. retired 退職した
19. overturn 覆す
20. proverb 諺

**Task 1** *Key vocabulary* （形容詞）

Reading 4 の文中の形容詞を全て見つけて丸で囲み、意味を書きましょう。

**Task 2**

音声を聞きながらシャドウイング（同時か少し遅れて読む）しながら、息継ぎやポーズに、スラッシュ（斜めの線）を入れましょう。

**Task 3** （日本語 ★ ／英語 ★★）

Reading 4 の要約を書きましょう。（100 語／ 60 words）

_____

_____

_____

_____

**Task 4**

Reading 4 を読んで、正しければ T を間違っていれば F を〇で囲みましょう。

1.  **T / F** Joaquin Garcia faced similar pressure to take only short vacations like many workers in Japan.
2.  **T / F** According to his lawyer, Mr. Garcia faced bullying at the plant and believed that there was no work to do.
3.  **T / F** The deputy mayor finally discovered that Mr. Garcia had been receiving a salary yet not working.
4.  **T / F** He was found guilty and ordered to pay a fine of US$41,500.

*Further Activities*　🎧 15

"Hang In There"（作詞作曲 Remedious Kimura）をジャズのリズムで楽曲と一緒にペアで歌いましょう。個々の単語の発音、ストレス、リズムやピッチ、イントネイション等を真似しましょう。

Hang In There

The sky was filled with clouds
My eyes were filled with tears
Where did our love go
There is no one now
To fill my empty space

The moon's face in gloom
I lost sight of the stars
Where did the spark go
I just can't believe ...
That we are through

### *Warm up*

**Task 1** ★

BMX に乗ったことがありますか。

**Task 2** ★★

How often do you ride a bike?  Where do you like to ride?

### *Listening & Short Conversation*

 16

**I Want to Ride Your Bicycle**

**A:** That's a nice bike!

**B:** Thanks. I got it not long ago.  It really makes getting to university so much faster.

**A:** I'll bet. Would you mind if I took it for a spin?

**B:** Not at all.  Here you go.

**A:** Man, that bike rides so smoothly!  Where did you get it?

**B:** At a local store in Kawasaki.  The guy was really knowledgeable and helped me get a bike that best matched my size.

**A:** I'll have to check that place out.

**Task 1**

音声を聴き、以下の練習をしましょう。

### *One-Point Listening:* 二重母音 [ ai ] の発音

[ ai ] の発音が含まれる 8 個の単語を探して、丸で囲みましょう。

## Task 2

Then, with your partner, try a role-play dialogue. Use eye contact and try to make your conversation as natural as possible.

## Reading Tips

### Paragraph Development（パラグラフ展開）

　各段落は TS ( 中心となる話題文 ) から始まり、その後に主題を説明したり発展したりする文章が続きます。更に速読スキルを上達させる為には、段落の主たる結論や目的を考え、段落展開をタイプ別に理解した方が良いでしょう。パラグラフ展開の仕方には、分類、定義、説明、意見、過程、比較等があります。

## *Grammar*　　SVOC, SVO, have, get, come　(Grammar Sections 参照 )

日本語に合うようにペアで正しい文章に並べ替えましょう。
→早く終わったペアは Part 2 Grammar Sections で正解をチェックしましょう。

1. ( 1. drive　2. me　3. him　4. I　5. had ) home last night.
（昨夜は彼に家まで車で送ってもらいました。）

_____

2. ( 1. get　2. to meet　3. I'll　4. Ms Matsueda　5. you ).
at the airport.
（松枝さんに空港であなたを迎えさせますよ。）

_____

3. ( 1. I'm　2. your party　3. to　4. coming　5. this weekend ).
（今週末、貴方のパーティーに行きます。）

_____

## Sport BMX and Urban Fun?

In crowded Tokyo, you may be surprised to learn that there are groups of street-riding BMX bikers. BMX riders pedal bikes designed for jumping and performing tricks. These bikes are small, light weight, very strong, and often lack
5 brakes. BMX riders look for handrails, ramps, walls or steps that can be used to perform tricks.

(1) <u>Groups of riders meet late at night, after the trains stop running.</u> This is the only time the streets of Tokyo are free of people. (2) <u>Riders then have the space to perform their tricks.</u>
10 The group scans Tokyo streets searching for steps to jump off of, handrails to slide down and ramps to climb.

When they find what they need, they practice their tricks. Though accidents occur frequently, riders rarely let cuts, scrapes or bruises end their evening early. After a few practice
15 runs, the lights and cameras come out.

These riders are not just interested in performing tricks but also in capturing the action on video. (3) <u>Riders often upload an evening's worth of video for their fans on social media.</u> But unlike their peers riding in bike parks during the
20 day, the Tokyo group must carry lights to brighten the night to catch the action.

Yet another challenge is the police. Many BMX bikes are banned on city streets, and some neighbors worry about property damage. Should the police arrive, the group leaves
25 the area.

Some people may believe that the riders are criminal types. But one group leader, Nobuhiro Masuda, is a salaryman. Other riders are "the artists, businessmen, architects, and teachers that walk among us in Tokyo crowds." In other
30 words, regular people.

With their love of BMX bikes and street riding, these groups hope to keep performing their tricks late into the Tokyo evenings.

1. tricks 技
2. searching for 捜索しながら
3. handrails to slide down 滑り降りる手すり
4. ramps to climb 登るためのスロープ
5. occur 起こる
6. rarely 滅多にない
7. scrapes 擦り傷
8. bruises あざ
9. come out 現れる
10. upload アップロードする
11. peers 仲間
12. brighten 明るくする
13. are banned 禁止される
14. neighbors 隣人
15. property damage 物的損害
16. Tokyo crowds 東京の雑踏
17. regular people 普通の人々

**Task 1  Grammar**（5 文型）

Reading 5 の文中の下線部(1), (2), (3)を SV, SVC, SVO, SVOO, SVOC のどの文型かを分析しましょう。

**Task 2**

音声を聞きながらシャドウイング（同時か少し遅れて読む）しながら、息継ぎやポーズに、スラッシュ（斜めの線）を入れましょう。

**Task 3**（日本語 ★／英語 ★★）

Reading 5 の要約を書きましょう。（100 語／ 40 words）

_____

_____

_____

_____

**Task 4**

Reading 5 を読んで以下の問題に答えましょう。

1. For what purpose are BMX bikes designed ?

_____

2. What is a typical BMX bike like?

_____

3. According to the article, how can fans of BMX riders see the riders' tricks?

_____

4. What do some neighbors worry about?

_____

5. According to one BMX group leader, what kind of people are the riders?

_____

*Further Activities*          🎧 19

早口言葉をペアで練習しましょう。

*A big brown bug bit a big black bear on a blue bicycle.*

## Unit 6

**Sowing Seeds of Happiness
Happiness**

### *Warm up*

**Task 1**  ★

幸せに感じるときはどんな時ですか。

_____

_____

**Task 2**  ★★

What do you like about your friends?  What makes you happy?

_____

_____

### *Listening & Short Conversation*   20

---

**I Can't Wait!**

**A:** What are you looking at?

**B:** I just got a message from my best friend in Nagasaki.  She said she's going to visit me next week.  I can't wait!

**A:** Nice!  How often does she come to visit?

**B:** Not as often as we'd like—about once every couple of months.

**A:** Do you visit her in Nagasaki?

**B:** Oh, yeah. I've been to Nagasaki lots of times.  Meeting her makes my life so fun.  You know what I mean?

**A:** Absolutely!  Without my best friend, I think I'd go crazy.

---

**Task 1**

音声を聴き、以下の練習をしましょう。

## One-Point Listening: [e] & [ei] の発音  21

下線部音に気を付けながら音声の後について次の単語を発音してみましょう。

[e]: m<u>e</u>ssage　b<u>e</u>st　fri<u>e</u>nd　s<u>ai</u>d　n<u>e</u>xt

[ei]: w<u>ai</u>t　m<u>a</u>ke　cr<u>a</u>zy

### Task 2

Then, with your partner, try a role-play dialogue. Use eye contact and try to make your conversation as natural as possible.

## Reading Tips

### Skimming & Content Words（スキミングと内容語）

スキミングは速読の最も重要なスキルのひとつです。これは、短時間で文書の基本的な、又は大ざっぱな理解を獲得する能力のことです。これを行うには、内容語（特に名詞、動詞、形容詞等）を中心に見て、キーワードやフレーズを確認し、著者が何を言っているのかを即、理解する必要があります。スキミングの仕方を早く学べば学ぶほど、より良く読めるようになるでしょう。

## *Grammar*　基本動詞　(Grammar Sections 参照)

日本語に合うようにペアで正しい文章に並べ替えましょう。
→早く終わったペアは Part 2 Grammar Sections で正解をチェックしましょう。

1. ( 1. in　2. that girl　3. kept　4. smiling　5. white ).
   （白い服を着たあの女の子は、絶えず微笑んでいました。）

   _____

2. ( 1. chance　2. leave　3. to　4. everything　5. let's ).
   （すべてを運に任せましょう。）

   _____

3. Don't worry. ( 1. fine and your dream　2. true　3. everything
   4. will certainly be　5. will come ).
   大丈夫。（何もかも上手くいきますから、そしてあなたの夢はきっと実現します。）

   _____

   _____

# Happiness

For nearly 80 years, groups of Harvard University researchers have studied what makes people happy. Years of data suggest happiness is something you can control, and the researchers are happy to share their findings.

5 First, "be happy with whatever you do." The researchers conclude that those who say they are "extremely happy" do work they enjoy. Most of these extremely happy people also feel that "the happiest period of their lives is now." In short, (1) <u>finding joy in your job keeps you happy</u>.

10 Second, the relationships we form influence happiness. Survey data clearly show that cherishing and strengthening our relationships boost happiness. In fact, "(2) <u>the most important happiness choice is to invest in your closest relationship</u>." With strong relationships, happy people are 15 better able to cope with life's difficulties.

Third, researchers find that taking care of your health and finances promote happiness. Ninety-three percent of extremely happy people report being in very good or excellent health. Exercise benefits both the body and mind, and 78% 20 of extremely happy people report that they exercise at least three days per week. As for money, 68% of extremely happy people feel that they're "set" or "on track" for retirement. These happy people feel that they have saved enough money or will have saved enough for retirement.

25 In sum, finding pleasure in what you do, maintaining loving relationships and taking care of yourself are within your control. Choose to lead a long and happy life.

1. share 共有する
2. conclude 結論付ける
3. those who say 〜 と言っている人たちは
4. extremely 非常に
5. relationships 関係性
6. influence 影響
7. cherishing and strengthening 大切にし、強化することが
8. boost 増大させる
9. taking care of 〜に配慮すること
10. finances 財政状態
11. promote 促進させる
12. benefits 利益をもたらす
13. both 〜 and 〜 〜と〜の両方の
14. retirement 退職
15. in sum, 要するに
16. pleasure 喜び
17. maintaining 維持すること

## Task 1  Grammar
下線部 (1), (2) を SV, SVC, SVO, SVOO, SVOC の 5 文型のどれにあてはまるか分析しましょう。

## Task 2
音声を聞きながらシャドウイング（同時か少し遅れて読む）しながら、息継ぎやポーズに、スラッシュ（斜めの線）を入れましょう。

**Task 3** （日本語 ★／英語 ★★）

Reading 6 の Main Idea を書きましょう。（100 語／ 40 words）

_____

_____

_____

_____

**Task 4**

Reading 6 を読んで以下の問題に答えましょう。

1. For almost 80 years, what have groups of Harvard University researchers studied? _____

2. What is the first finding of the researchers? _____

3. What is the second finding of the researchers? _____

4. What is the third finding of the researchers? _____

*Further Activities*  24

"Happiness"（作詞作曲 Remedious Kimura）を楽曲を聞きながら一緒に歌いましょう。
個々の単語の発音、ストレス、リズムやピッチ、イントネィション等を真似しましょう。

Intro: (scat) *doo bee doo papa  doo bee doo papa*

I  *The way you look at me*
*The way you smile and see*
*The way you break the ice*
*That makes me happy*

II  *The way you touch my heart*
*I knew right from the start*
*The sparkle in your eyes*
*Boy, I'm goin' crazy*

※  *Love is in the air*
*Just feel it my friend*
*The world is in your hands*
*You'll see (yeah yeah yeah)*
*The moment's divine*
*Our hearts are entwined*
*Don't be afraid to show*
*The love inside*

III  *The way you sing that tune*
*And play the melody*
*We'll be in such perfect harmony*
*The way you treat me nice*
*I'm in paradise*
*Boy that makes me happy*
*You make me happy*

CODA: *Boy I'm goin' crazy*
*Gee, I'm so happy*

## *Warm up*

**Task 1**  ★

日本で最も人気のあるスポーツは何か３つ書きましょう。

1. _____  2. _____  3. _____

**Task 2**  ★★

What sport do you like best?  Why?

_____

_____

## *Listening & Short Conversation*

 25

---

**Soccer Club or Futsal Club:  That is the Question**

A: Have you finally chosen a club?

B: Yeah, I joined a soccer circle, but right now we only have eight members.  So I'm not sure if we'll turn it into a futsal circle or not.

A: Well, if you need another member, I'm available.

B: Really?  You play soccer?

A: Yeah!  I was a left fullback in high school.  Actually, I was one of the best players on my team.

B: Was your team any good?

A: Yeah, but we lost to teams we should have beaten.  It cost us in the playoffs.

B: Well, we'll definitely take you for our circle!

---

**Task 1**

音声を聴き、以下の練習をしましょう。

## One-Point Listening: Content Words（内容語）強く読まれる語

下の文の中で強く読まれる語を丸で囲みましょう。

Yeah, I joined a soccer circle, but right now we only have eight members. So I'm not sure if we'll turn it into a futsal circle or not.

## Listening Tips

### Sentence Stress    Content Words（内容語）

英語が話される時、強く発音する語 ( 内容語 ) と弱く発音される語 ( 機能語 ) があります。特に key words（キーワード）となる内容語に集中して聴き取るようにしましょう。文中で主に強く読まれる語で動詞 (be 動詞、助動詞は除く )、名詞 ( 代名詞は除く )、形容詞、副詞、数詞、間投詞、指示詞など。

例：**Have you fínally chósen a clúb?**

**Wéll, we'll définitlely táke you for our círcle!**

### Task 2

Then, with your partner, try a role-play dialogue.  Use eye contact and try to make your conversation as natural as possible.

## *Grammar*      助動詞                    (Grammar Sections 参照 )

日本語に合うようにペアで正しい文章に並べ替えましょう。
→早く終わったペアは Part2　Grammar Sections で正解をチェックしましょう。

1. ( ₁. you    ₂. window    ₃. will    ₄. open    ₅. the )?

   （窓を開けてくれませんか？）

   _____

2. Yoshiko thought ( ₁. in life    ₂. could make    ₃. she    ₄. that
   ₅. a fresh start ).

   （もう一度人生やり直しができると佳子は思った。）

   _____

   _____

3. Keishiro ( ₁. has    ₂. truthful    ₃. to us    ₄. been    ₅. all ).

   （景史郎はわたしたち皆に誠実だった。）

   _____

## Sports and Games

Inspiration for new high-tech games often springs from a country's culture or builds upon the rules and designs of well-known games. Young Japanese game inventors have found inspiration from Japanese sports and entertainment culture to
5    introduce their new high-tech games to the world.

Dragon Ball Z comics and "Street Fighter" video games led to the development of Hado (Wave Motion) in 2015. Hado players wear "head-mounted augmented-reality displays and armband sensors" to create a virtual field of play. And
10    just like Son Gohan, Hado players fire energy balls and light waves at their opponents. The goal is to hit your opponents with fireballs before they hit you.

Sumo inspired Ryoichi Ando, a virtual-reality researcher, to invent the game Bubble Jumper. To play, participants walk
15    on stilts while wearing a large inflatable bubble protector. Then, like sumo wrestlers, they crash into each other. Try not to fall!

Kosuke Sato wanted to create a race that everyone could participate in, "regardless of age, gender or disability." So, he
20    came up with a new kind of racer, Carry Otto. "Carry Otto is a motorized wheel device with reins that pulls a rider seated on a dolly." Players race one another, hoping to be the first to cross the finish line.

The popularity of drones and Kenji Miyazawa's novel
25    "Night on the Galactic Railroad" motivated Hirohiko Hayakawa to create the game ToriTori. In ToriTori, team members with small drones try to fly their drones into a goal. The opposing team flies a large drone and attempts to score "points by capturing the smaller drones."

30    With rapidly advancing technology and an active imagination, more high-tech sports and games are sure to be developed.

1. inspiration ひらめき (着想)

2. springs 芽生える

3. inventors 考案者

4. entertainment 娯楽

5. led to という結果となった

6. head-mounted augmented-reality displays HMD（頭に被るゴーグル式のディスプレイ）

7. opponents 対抗者

8. on stilts 竹馬に乗って

9. inflatable 膨らませることができる

10. regardless 〜にも係わらず

11. Carry Otto キャリオット

12. motorized 駆動する

13. reins 手綱

14. dolly 小さな車輪付きトロッコ

15. "Night on the Galactic Railroad" 『銀河鉄道の夜』

16. ToriTori ゲーム名は「鳥捕り」鳥を捕る人、宮澤賢治の『銀河鉄道の夜』に登場する謎の人物に由来する

17. attempts 試みる

**Task 1   Grammar**（助動詞）

Reading 7 の文中の助動詞 2 個を見つけて丸で囲み、その用法と意味を答えましょう。

**Task 2**

音声を聞きながらシャドウイング（同時か少し遅れて読む）しながら、息継ぎやポーズに、スラッシュ（斜めの線）を入れましょう。

**Task 3**

ペアでじゃんけんをして、勝った人がその sense group（意味のまとまり）毎に音読して、負けた人はリピートしましょう。そしてペアで sense group 毎に直訳しましょう。

**Task 4**

Reading 7 を読んで、正しければ T を間違っていれば F を丸で囲みましょう。

1. **T / F**  Young Japanese game inventors have created new high-tech games inspired from Japanese sports.

2. **T / F**  Hado players wear large inflatable bubble protectors.

3. **T / F**  In the game Bubble Jumper players walk on flat square mats.

4. **T / F**  Hirohiko Hayakawa was inspired by Kenji Miyazawa's novel "Night on the Galactic Railroad" to create the game ToriTori.

## *Further Activities*

Match the descriptions below.  Write the numbers in the parentheses.

1. Hado (   )    2. Bubble Jumper (   )    3. Carry Otto (   )    4. ToriTori (   )

a. Game players wear HMD  goggles  and armband sensors to play.

b. Players race in a dolly with a wheel and rein.

c. Players crash into each other while wearing a large bubble protector.

d. Team members try to fly their small drones into a goal.

## Warm up

**Task 1** ★

119番通報する時、オペレーターに告げるべき3つのことをあげましょう。

1. _____　2. _____　3. _____

**Task 2** ★★

What do you have to keep in mind when you make an emergency call with your smartphone?

_____

## Listening & Short Conversation

 29

**Injuries Happen**

A: Oh my gosh! What happened?

B: I broke my ankle playing basketball.

A: How did you do that?

B: I went up for a rebound and came down on another player's foot.

A: Did it hurt?

B: Yeah, a bit. I'm kind of lucky, though. It's a small break and I won't need surgery or anything like that. But I'll be in the cast for six more weeks.

A: I hope you can get a seat on the train!

**Task 1**

音声を聴き、以下の練習をしましょう。

*One-Point Listening:* Linking (連接) (1) 単語と単語がつながって聞こえる現象

（1）consonants + vowels （子音＋母音）

**A.** 破裂音 [b, d, g, k, p, t] ＋ 母音 [a, i, u, e, o] など

例：**Put it on the table.**

囲みの中を putiton と一語のように読みます。

次の語（句）の中で連接が起こるところ4箇所を丸で囲み更に3回音読しましょう。 🎧 30

・I went up for a rebound and came down on another player's foot.
・I'm kind of lucky, though.

**B.** 摩擦音 [f, v, θ, ð, ʃ, s, z, ʒ, h] ＋母音

例：**This is for you.**

**C.** 破擦音 [tʃ, dʒ] ＋母音

例：**The bridge is very long.**

**D.** 鼻音 [m, n, ŋ] ＋母音

例：**Sing a song.**

**E.** 側音 [l] ＋母音

例：**The bell is ringing.**

## Listening Tips

### Linking（連接）

英語が速く読まれるとき英語特有の音の変化を起こします。その主なルールを
知っておくと、より聞き取りやすくなります。意味をくずす句の場合や通例目
上の人には使いません。

**Task 2**

Then, with your partner, try a role-play dialogue. Use eye contact and try to make your
conversation as natural as possible.

## *Grammar* 助動詞 　　　　(Grammar Sections 参照)

日本語に合うようにペアで正しい文章に並べ替えましょう。
→早く終わったペアは Part 2 Grammar Sections で正解をチェックしましょう。

1. ( ₁. drive　₂. home　₃. me　₄. you　₅. can ), Akio?
   （明夫、家まで車で送ってくれる？）

   _____

2. ( ₁. in that space　₂. park　₃. your car　₄. you　₅. can ).
   （あのスペースに車を停めていいよ。）

   _____

3. ( ₁. side effects　₂. can　₃. this medicine　₄. some serious　₅. cause ).
   （この薬は深刻な副作用を引き起こす可能性がある。）

   _____

## Medical Science

Like many 19-year-old Americans, Ian Burkhart spent summers at the beach. One day while swimming in the ocean, a wave picked him up and slammed him to the sandy bottom, breaking his neck. Ian became paralyzed
5　from the neck down. This severe injury not only limited his movement but also his independence. Yet Ian believed that one day medical technology would allow him to "regain enough movement to become more independent."

Nearly four years after his injury, Ian's beliefs have been
10　realized.

Because Ian's spinal cord was damaged, a team of scientists, doctors and engineers had to create a new way for Ian to send messages from his brain to his hand. The team developed a tiny computer chip that could be implanted into Ian's brain.
15　The chip, with help from a computer, would send messages to electrodes that wrap around his forearm. The electrodes would stimulate the muscles in his hands and forearms to produce movement. The team had Ian imagine moving his hand while they viewed images of his brain from an fMRI.
20　Doctors were then able to discover where to implant the chip. Now Ian can concentrate on a movement and have the computer connected to the chip in his brain send a signal to the electrodes on his forearm. With this system, Ian became the first paralyzed person "to regain movement in his own
25　body ... by using signals that originated within the brain."

After surgery to implant the chip, Ian spent the next 15 months working with and improving the system. His dedication and hard work is paying off; he can now play the video game Guitar Hero! But, more importantly, he can do
30　more things on his own and feel more independent.

---

1. slammed 強打した
2. paralyzed 麻痺した
3. from the neck down 首から下
4. severe injury 重傷
5. independence 自立
6. regain 取り戻す
7. spinal cord 脊椎
8. be implanted (人、体などに) 移植される
9. electrodes 電極
10. wrap 巻きつける
11. stimulate ～を刺激する
12. muscles 筋肉
13. fMRI (functional magnetic resonance imaging) 核磁気共鳴画像法　MRI 装置を使って害を与えずに脳活動を調べる方法
14. concentrate 集中する
15. surgery (外科) 手術
16. dedication 貢献
17. is paying off 成果を上げている

**Task 1  Grammar**（助動詞）

Reading 8 の文中の助動詞（would, have, can, could）8 個を丸で囲みましょう。

**Task 2**

音声を聞きながらシャドウイング（同時か少し遅れて読む）しながら、息継ぎやポーズに、スラッシュ（斜めの線）を入れましょう。

**Task 3**

ペアでじゃんけんをして、勝った人がその sense group（意味のまとまり）毎に音読して、負けた人はリピートしましょう。そしてペアで sense group 毎に直訳しましょう。

**Task 4**

Reading 8 を読んで以下の質問に答えましょう。

1. What is the purpose of this passage?

   a. To inform us of how fMRI is useful.

   b. To examine how much Ian's spinal cord was damaged.

   c. To explain how Ian regained movement and independence.

2. In line 4, what does the word 'paralyzed' mean?

   a. disabled    b. criticized    c. sympathized

3. According to this passage, what action can Ian perform with the use of the chip in his brain and computer?

   a. He can walk by himself    b. He can play this favorite video games.

   c. He can swim in the sea.

## *Further Activities*

1. ~ 4. の説明を a. ~ d. から選んで答えましょう。

1. pea-sized chip in his brain                    (　)
2. sending messages                               (　)
3. signals decoded by the PC                      (　)
4. 130 electrodes wrapped around his forearm (　)

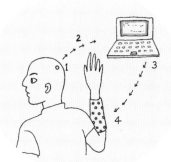

   a. The computer stimulates the muscles and his hands and forearms move.

   b. He has a small chip implanted in his head.

   c. The computer decodes the signals and transmits them to electrodes wrapped around his forearm.

   d. When he'd like to move his hand, the chip catches his thoughts and changes them into signals and sends them to the computer.

## Unit 9　Sowing Seeds of Psychology Resilience

*Warm up*

**Task 1**　★

日常生活におけるあなたのストレスは何ですか。2つ挙げましょう。

1. _____

2. _____

complaints
problems
pressure
troubles

**Task 2**　★ & ★★

With your partner, discuss how you manage your stress.

_____

_____

*Listening & Short Conversation*　🎧 33

> **A Difficult Test**
>
> **A:** You look upset.  What's wrong?
>
> **B:** I failed my English test.
>
> **A:** What kind of test was it?
>
> **B:** It was a long essay test.  You know, the kind where you have to answer a bunch of questions with a bunch of paragraphs.
>
> **A:** Don't tell me.  You have Professor Smith, right?
>
> **B:** Yeah.  How did you know?
>
> **A:** Everyone fails his tests.  They're almost impossible to pass.  I barely got a 'C' in his class.
>
> **B:** Really?  You got a 'C'? But you're like the TOEIC master.  Now I don't feel so bad.  Thanks!

**Task 1**

音声を聴き、以下の練習をしましょう。

## One-Point Listening: Assimilation（同化）(1)

**would you** → [wud ju → wudʒu]　　**could you** → [kud ju → kudʒu]

**have to** → [hæv tə; hæf tə]　　**has to** → [hæz tə; hæs tə]

以下の文中で同化して、つながって読まれるところを丸で囲み 3 回発音しましょう。　🎧 34

You know, the kind where you have to answer a bunch of questions with a bunch of paragraphs.

## Listening Tips

### Assimilation ( 同化 ) (1)

英語が速く読まれる時連続した語の子音と子音がお互いに影響されてつながったり別の音のように聞こえたりすることがあります。

**Task 2**

Listen to the short conversation again.  Then, with your partner, try a role-play dialogue.

## Grammar　比較　　　　　　　　　（Grammar Sections 参照）

日本語に合うようにペアで正しい文章に並べ替えましょう。
→早く終わったペアは Part 2 Grammar Sections で正解をチェックしましょう。

1. ( ₁. smarter　₂. Masahumi　₃. Yasuyo　₄. than　₅. is ).
   （正史は康代よりも賢い。）

   _____

2. He ( ₁. is　₂. politer　₃. than　₄. used to be　₅. he ).
   （彼は昔の彼よりも礼儀正しい。）

   _____

3. ( ₁. three times　₂. bigger　₃. Yoshiko's house　₄. is
   ₅. than my house ).
   （佳子の家は僕の家の 3 倍大きい。）

   _____

   _____

# Resilience

Resilience helps us recover from stressful or difficult events. Those with resilience better handle life's challenges. Fortunately, researchers believe resilience can be strengthened and taught.

To become more resilient be optimistic. If you receive a score of "F" on a midterm test, don't think "I'll never pass this class." Instead, believe "This may be difficult and I'll need to study hard, but I can do well on the final test and pass the class." Also, spend time with optimistic, positive people. Their optimism can boost your positive thoughts.

University students face new and oftentimes stressful situations. Students taught to see stressful situations as chances to grow and learn "got better grades and were less likely to drop out." Similarly, students instructed to use stress to motivate themselves scored higher on university tests and managed stress better than students told to ignore stress.

Not making everything personal also promotes resilience. When we make a mistake, we may believe it's our fault and consider "what we should have done differently." But other factors in the environment probably played a role in the mistake. Once again, imagine you received a failing test score. Remember: it's not personal. You're not stupid; you just didn't have enough time to study because you had to work. It doesn't exist in all parts of your life. You failed a test; you're still a great friend. It's not forever. Failing this test doesn't mean you'll fail future tests. As Dr. Adam Grant, a management and psychology professor, says, "There is almost no failure that is totally personal."

In conclusion, practice optimism, use stress for motivation and growth, and remember that you can recover from mistakes and you will build resilience.

---

1. resilience レジリエンス（困難な出来事から立ち直る回復力）
2. can be strengthened 強化される
3. optimistic 楽観的な
4. face 直面する
5. grades 成績
6. were less likely よりしそうにない
7. drop out 落第する
8. similarly 同様に
9. motivate 動機付けとなる
10. performance 学業
11. ignore 無視する
12. promotes 促進する
13. tend to ～する傾向がある
14. consider よく考える
15. "what we should have done differently." 「私たちが違ったやり方ですべきだった（のにしなかった）こと」
16. played a role 役割を演じる
17. a failing test score 試験不合格の点数
18. stupid 愚かな
19. a management and psychology professor 経営学および心理学の教授

**Task 1** Grammar（比較）

Reading 9 の文中より比較の表現 6 個を見つけて、丸で囲みましょう。

**Task 2**

音声を聞きながらシャドウイング（同時か少し遅れて読む）しながら、息継ぎやポーズに、スラッシュ（斜めの線）を入れましょう。

**Task 3**

ペアでじゃんけんをして、勝った人がその sense group（意味のまとまり）毎に音読して、負けた人はリピートしましょう。そしてペアで sense group 毎に直訳しましょう。

**Task 4**

Reading 9 を読んで以下の質問に答えましょう。

1. What does the word "resilience" mean in line 1?
   - a. To handle life's challenges poorly.
   - b. To receive a score of "F" on a midterm test.
   - c. To recover from stressful or difficult events.

2. According to the article, to become more resilient you should be ...
   - a. pessimistic    b. optimistic    c. romantic

3. According to the article, what is a good way to deal with stress?
   - a. Use it for motivation and growth.
   - b. Ignore it.    c. Make it personal.

## *Further Activities*

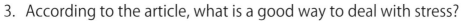

### How to Become Resilient

以下の命令文の（　　）内に当てはまる動詞を下から選んで答えましょう。

① (　　　　) flexibility.　　② (　　　　) lessons.

③ (　　　　) action.　　④ (　　　　) tension.

⑤ (　　　　) optimistic.　　⑥ (　　　　) laughing.

⑦ (　　　　) in yourself.　　⑧ (　　　　) a sense of purpose.

**Be    Take    Keep    Have    Release    Learn    Develop    Believe**

## Sowing Seeds of Facts
## Efforts to Flag Fake-news

### *Warm up*

**Task 1**  ★

Twitter 上でフェイクニュースは本当のニュースに比べて、1,500 人の人に対し何倍のスピード
で伝わるか次の 3 つの中から選びましょう。

₁. 5 times      ₂. 10 times      ₃. 20 times

**Task 2**  ★★

With your partner, discuss what you can do to prevent the spread of fake news.

### *Listening & Short Conversation*

 37

> **Shape the Future**
>
> **A:** You know, it's so much better now that people over 18 years old can vote.
>
> **B:** You think so?  I'm not even going to bother voting.
>
> **A:** Are you kidding?  Why?
>
> **B:** What does it matter?  The politicians don't listen to us, especially young people.
>
> **A:** They'll start listening if we get involved and vote!
>
> **B:** I don't know about that.
>
> **A:** Well, we've got to vote if we want to shape the future.  What do you say we vote together in the next election?
>
> **B:** All right.  I'll go with you.

**Task 1**

音声を聴き、以下の練習をしましょう。

*One-Point Listening:* 口語のカジュアルな表現

以下のように発音されることがあります。

**going to → gonna    want to → wanna    don't know → dunno**

**what do you say? → Whaddaya say?**

音声を聴いて、下の文中で砕けた発音がなされるところを丸で囲みましょう。  38

Well, we've got to vote if we want to shape the future.

*Listening Tips*

> **Fast and Relaxed Pronunciation（砕けた発音）**
> 主にアメリカ英語の日常的インフォーマルな会話表現

**Task 2**

Listen to the short conversation again. Then, with your partner, try a role-play dialogue.

*Grammar*    **動名詞**　　　　　（Grammar Sections 参照）

日本語に合うようにペアで正しい文章に並べ替えましょう。
→早く終わったペアは Part 2 Grammar Sections で正解をチェックしましょう。

1. ( 1. with Masahumi    2. driving    3. Chiharu    4. enjoyed ).
   （千春は正史とドライブを楽しんだ。）
   _____

2. ( 1. in the middle of    2. strictly prohibited    3. talking    4. will be
   5. the lecture ).
   （講演中の私語は固く禁じられています。）
   _____
   _____

3. ( 1. mind    2. do    3. the window    4. you    5. my opening )? It's so hot.
   （窓を開けてもいいですか？）とても暑いです。
   _____ It's so hot.

## Efforts to Flag Fake-news

During the 2016 presidential election in America, stories containing incorrect information and lies were spread over the Internet. The writers of these "fake-news" stories hope their lies influence voters. The writers target people likely to
5 read the fake news and share it on social media. This enabled fake news to reach many voters in the 2016 election. Could this happen during elections in Japan?

Yes. But luckily for Japan, Japan Center of Education for Journalist (JCEJ), a group of media researchers, journalists
10 and university students, identifies fake news and attempts to stop its influence. The university students search Twitter and other digital media for content about politics and candidates for office. The students collect, sort and pass the information to the journalists. The journalists check the information
15 for falsehoods. If three or more journalists from media companies judge the content to be "fake," they publish their conclusions.

Prior to the October 2017 election, JCEJ had identified four news stories that were fake. In one instance, a story
20 contained @kyodo in its report. The writers hoped readers would believe it was written by Kyodo News, a trusted news distributor.

FactCheck Initiative Japan (FIJ) is another group helping to slow the spread of false information. FIJ not only checks
25 the accuracy of news stories but also of politicians' remarks, including those of the prime minister. FIJ categorizes the information into groups such as "false" or "groundless." According to Daisuke Furuta, a participant in FIJ, "People around the world are working on the issue and we want such
30 moves to spread further in Japan."

Democracy functions best when voters are well informed and have access to accurate information. With JCEJ and FIJ working to prevent the spread of false information and fake news, Japanese citizens can have faith in their democracy.

1. incorrect 不正な
2. enabled 可能にした
3. Japan Center of Education for Journalist (JCEJ) 日本ジャーナリスト教育センター
4. identifies 識別する
5. content 内容
6. candidates （公職選挙の）候補者
7. sort 分類する
8. falsehoods うそ、虚偽
9. judge 審理する
10. conclusions 結論
11. prior to ～より前に
12. instance 例
13. a trusted news
14. distributor 信頼のおけるニュース配信元 FactCheck Initiative Japan (FIJ) ファクトチェックイニシアティヴジャパン
15. accuracy 正確さ
16. groundless 事実無根
17. functions 機能する
18. voters 有権者
19. prevent 防ぐ

### Task 1　Grammar（-ing 形）

Reading 10 の文中から -ing 形（動詞の原形＋－ ing）を 5 個を見つけて、丸で囲み、日本語でそれぞれの意味を言いましょう。

### Task 2

音声を聞きながらシャドウイング（同時か少し遅れて読む）しながら、息継ぎやポーズに、スラッシュ（斜めの線）を入れましょう。

### Task 3

ペアでじゃんけんをして、勝った人がその sense group（意味のまとまり）毎に音読して、負けた人はリピートしましょう。そしてペアで sense group 毎に直訳しましょう。

### Task 4

Reading 10 を読んで、正しければ T を間違っていれば F を丸で囲みましょう。

1. **T / F** Fake news in the 2016 election in America spread over the Internet.

2. **T / F** Japan Center of Education for Journalist (JCEJ) is a group of media researchers, journalists and university students that identifies fake news but does NOT attempt to stop its influence.

3. **T / F** JCEJ had identified four news stories that were fake during the presidential election in the U.S.A. in 2016.

4. **T / F** FIJ is another group trying to prevent "fake-news" from spreading.

## *Further Activities*

## Telephone Game　伝言ゲーム

1．4 - 5 人で 1 チームにリーダー（最終報告者）を一人ずつ決める。

2．各チームは先生からメッセージの紙を受け取る。

3．メッセージをささやきながら次々後ろへ伝えていく。

　＊（この時他のチームには聞こえないようにすること）

4．最終報告者が先生に受け取ったメッセージを耳元で囁く。

5．一番早く正確に伝えたチームが勝ちになる。

## *Warm up*

**Task 1** ★

20 世紀に世界を変えた政治家の名前を 1 人挙げましょう。

1. _____

**Task 2** ★★

What did he or she do?

_____

_____

## *Listening & Short Conversation*

 41

> **Golden Week News**
>
> **A:** What did you do during Golden Week?
>
> **B:** I visited my grandfather in Kumamoto.
>
> **A:** Nice. How's he doing?
>
> **B:** Good. My grandmother died a long time ago, and I don't really remember her. But my grandfather's still doing well. He's always out planting and taking care of his strawberry fields. He loves it.
>
> **A:** I guess that helps keep him young and strong.
>
> **B:** It does. And what about you? How was your Golden Week?
>
> **A:** Really good, thanks. My friends and I spent a couple of nights at TDL.

**Task 1**

音声を聴き、以下の練習をしましょう。

## One-Point Listening: 口語のカジュアルな表現

子音と子音が隣接すると前の子音に影響されて、ここに発音される時とは別の音に変化することがあります。

例： **t+you=［tʃu］ I want you.**

**d+you=［dʒu］ I need you. / Did you know that?**

## Listening Tips

**Assimilation（同化）（2）**
隣接する 2 つの単語の間で隣の音に影響されて起こる現象

次の文の中で別の音に変化して読まれるところを○で囲みましょう。  42

What did you do during Golden Week?  And what about you?

**Task 2**

Listen to the short conversation again.  Then, with your partner, try a role-play dialogue.

## Grammar  -ing  (Grammar Sections 参照)

Task 1 日本語に合うようにペアで正しい文章に並べ替えましょう。
→早く終わったペアは Part 2 Grammar Sections で正解をチェックしましょう。

1. ( ₁. what to say,  ₂. not knowing  ₃. remained  ₄. Yoshiko
   ₅. in the shop  ₆. silent ).
   （何を言っていいかわからなかったので、佳子は店で黙っていた。）

   _____

   _____

2. ( ₁. that baby  ₂. look at  ₃. sleeping  ₄. in the cradle ).  How cute!
   （ゆりかごで眠っている赤ん坊を見て。）何て可愛いのかしら。

   _____. How cute!

3. ( ₁. seeing  ₂. suddenly screamed  ₃. she  ₄. several uniformed men, ).
   （数人の制服を纏った男たちを見た時、彼女は突然悲鳴をあげた。）

   _____

## Brain Development

Moments after first encountering Bambi, we see him struggling to stand up. As a newborn deer, it takes some time before he can gain control of his legs. Yet, deer learn to stand up and walk in a matter of hours, while it takes humans

5　many months. Why the difference?

The difference lies in the wiring of the brains. Baby animals' brains "wire up according to a preprogrammed routine." They get a fast start on life. On the other hand, human babies' brains are shaped by their experiences. They're

10　"livewired." This lack of preprogramming gives us flexibility but takes time to develop. This brain flexibility allows humans to thrive in any environment.

Flexibility comes from the connections our brain cells make. "A baby's neurons [brain cells] form two million

15　new connections every second as they take in information." By the age of two, babies have formed over 100 trillion (100,000,000,000,000) synapses in their brains. Synapses allow neurons to pass signals to other neurons. Babies have twice the number of synapses that adults have.

20　After this childhood peak, our brains cut back on the connections we don't use. As we mature from our childhood to our teens and early 20s, about half of our synapses are eliminated. Our brains appear fully developed by the time we're 25 years old.

25　But can adult brains continue to form new connections? Yes. All your life's experiences have changed the structure of your brain. As you get older, consider how to keep your brain flexible and healthy. Researchers have found that "cognitive exercise ([like]…reading, driving, learning new

30　skills, and having responsibilities)" protects brain health and promotes flexibility. Being social and exercising also help.

In sum, to keep your brain healthy and flexible as you age, keep challenging it.

1. moments after　～の直後

2. encountering　出会い

3. struggling　もがいている

4. a preprogrammed routine　予めプログラムされた手順

5. livewired　生きた回路 live wired, live-wired

6. flexibility　柔軟性

7. thrive　繁栄する

8. neurons　神経単位、ニューロン

9. synapses　シナプス神経細胞の連接部

10. mature　大人になる

11. will be eliminated　取り除かれる

12. how to keep your brain flexible and healthy　いかに柔軟にそして健康に保つか

13. cognitive exercise　コグニサイズ、認知症予防運動

14. responsibilities　責任

15. in sum　要するに

16. keep challenging　チャレンジし続ける

**Task 1    Grammar**（-ing 形）

Reading 11 の文中の "-ing" を見つけて、現在分詞か動名詞かを答えましょう。

**Task 2**

音声を聞きながらシャドウイング（同時か少し遅れて読む）しながら、息継ぎやポーズに、スラッシュ（斜めの線）を入れましょう。

**Task 3**

ペアでじゃんけんをして、勝った人がその sense group（意味のまとまり）毎に音読して、負けた人はリピートしましょう。そしてペアで sense group 毎に直訳しましょう。

**Task 4**

Reading 11 を読んで以下の問題に答えましょう。

1. What is mainly discussed in this passage?
   a. The reasons why animals develop quicker than humans.
   b. The difference between animal babies and human babies.
   c. How brains develop in humans and animals.

2. According to the passage, what is the main difference between animal brains and human brains?
   a. The wiring of the brains.        b. The size of the brains.
   c. The weight of the brains.

3. Which one is NOT true about human brains?
   a. Adults have many more synapses than babies have.
   b. Our brains appear fully develop by age 25.
   c. Adults brains can continue to form new connections.

*Further Activities*

**脳トレ復唱クイズに挑戦**

1. ペアを組み、ジャンケンをし、負けた人がクイズの出題者になる。

2. 相手に見えないように左の文中から英単語 10 個を選び、メモする。

3. 出題者は 10 個の英単語を順不同でゆっくり読み上げる。

4. 回答者はこれらを暗記、出題終了後に復唱、正答をチェックする。

5. 終わったら交代する。正答の数が多い方が勝ちになる。

## Unit 12 — Sowing Seeds of Friendship
### Yosegaki Hinomaru

*Warm up*

**Task 1** ★

友を作り、よい友人関係を保つためには何が大事ですか？　3つ挙げましょう。

1. _____  2. _____  3. _____

**Task 2** ★★

With your partner, discuss the ways to be friends again after you have quarreled.

*Listening & Short Conversation*  45

---

**Becoming Friends**

**A:** You studied English at an American university for a while, didn't you?

**B:** Yeah, I had a great time. But I was only there for two months.

**A:** I thought you didn't like it at first.

**B:** Yeah, but that was only because I hadn't gotten to know my roommate—the Russian guy I told you about.

**A:** You said he was kind of quiet and wouldn't talk to you.

**B:** That's true. But one day we were in this other building on campus that had a piano and the Russian guy just sat down and played song after song. Every genre—rock, classical, jazz.

**A:** Wow! Did you know he could play like that?

**B:** Not at all! So after that, I realized he wasn't really quiet. He just couldn't speak English that well. But from then on we could always talk about music or just listen to music together. Actually, I talked to him last night on Skype.

**A:** That's great! I wish I had a friend like that.

---

**Task 1**

音声を聴き、以下の練習をしましょう。

## One-Point Listening: 口語のカジュアルな表現

速く話されると子音と子音（[b, d, g, k, p, t]＋子音）のように 2 つの単語の子音が隣接すると前の音が弱くなったり消えたりすることがあります。

例：**hot tea** → **[ho tea]**（hot の [t] は心の中で読み、ちょっとポーズを置く感じで一語のように読みます。）

次の各文の中で単語間に脱落が起こる文字を丸で囲みましょう。  46

I had a great time. / Yeah, but that was only because I hadn't gotten to know my roommate.

## Listening Tips

**Reduction 脱落**

スピードのある発話の中で子音＋子音のところで自然に起こる音の省エネ化

## Task 2

Listen to the following short conversation.  Then, with your partner, try a role-play dialogue.

*Grammar*  **to V**  (Grammar Sections 参照 )

日本語に合うようにペアで正しい文章に並べ替えましょう。
→早く終わったペアは Part 2 Grammar Sections で正解をチェックしましょう。

1. ( 1. seems   2. Akiko   3. gone out   4. with him   5. to have ) years ago.
   （昔、晶子は彼と付き合っていたようだ。）

   _____ years ago.

2. ( 1. you   2. the truth   3. to   4. tell ), he got a first-round-bye.
   （実を言うと彼は一回戦不戦勝だった。）

   _____, he got a first-round-bye.

3. ( 1. old   2. that common knowledge   3. to make out   4. the guy is   5. enough ).
   （あの男は、その程度の常識は理解できる年齢だ。）

   _____

   _____

## Yosegaki Hinomaru

During World War II, American and Japanese soldiers fought bloody battles throughout the Pacific islands. Over 70 years later, former American soldiers and their families hope to give closure to Japanese families of deceased soldiers by returning yosegaki hinomaru.

Yosegaki hinomaru are small Japanese flags with "personal messages from the soldier's family and friends" written on them. The flag was then presented to the soldier before he left for battle. Japanese soldiers believed the flags offered hope and had a power to protect them.

Yosegaki hinomaru were not just treasured by Japanese soldiers but also by American soldiers. Americans prized the flags as souvenirs for good luck. Former soldier Leslie Weatherill took a flag from the pocket of a dead soldier. Decades later, Mr. Weatherill hopes to return the flag to its former owner's family.

Returning these flags takes much time and research. So Mr. Weatherill received help from Obon 2015. Obon 2015 collects yosegaki hinomaru from American families and sends the flags to Japan. Then, "[s]cholars, government ministry workers, a veterans group and an association of Shinto priests" search for clues in the messages, hoping to discover the deceased soldiers' families.

For Mr. Weatherill's flag, Obon 2015 and their partners located the deceased owner's family and returned the flag.

The Japanese families who receive flags experience a wide range of emotions. Many first feel shock because they hadn't known the flag existed. "Then, secondly, they feel their father, or brother, [is] coming back home." Finally, many achieve "a sense of closure."

About 50% of yosegaki hinomaru are returned to appropriate family members. Obon 2015 will continue to reunite families and these powerful symbols.

1. bloody 流血の
2. to give closure 区切りつけること
3. deceased soldiers 戦死した日本兵
4. protect 守る
5. prized 尊重した
6. souvenirs 記念品
7. decades 数十年
8. Mr. Leslie Weatherill レズリーウエザリル氏
9. former かつての
10. Obon 2015 寄せ書き日の丸返還プロジェクト
11. a veterans group 退役軍人団体
12. association of Shinto priests 神主協会
13. located 場所を特定した
14. existed 存在した
15. wide range of emotions 幅広い感情の起伏
16. appropriate 相応し
17. unite 再会させる

**Task 1**  **Grammar**（to V）

Reading 12 の中の to 不定詞（to+ 動詞の原形）を探して丸で囲みましょう。

**Task 2**

音声を聞きながらシャドウイング（同時か少し遅れて読む）しながら、息継ぎやポーズに、スラッシュ（斜めの線）を入れましょう。

**Task 3**

ペアでじゃんけんをして、勝った人がその sense group（意味のまとまり）毎に音読して、負けた人はリピートしましょう。そしてペアで sense group 毎に直訳しましょう。

**Task 4**

Reading 12 を読んで以下の問題に答えましょう。

1.  What is mainly explained in this passage?
    a. What happened during World War II battles.
    b. How Mr. Weatherill got a yosegaki hinomaru.
    c. How yosegaki hinomaru are returned.

2.  According to the passage, yosegaki hinomaru are flags
    a. all Japanese soldiers had to carry to the battlefield.
    b. to fly when soldiers need help on the battlefield.
    c. given to Japanese soldiers with messages from family and friends.

3.  Leslie Weatherill located the deceased soldier's family by
    a. surfing the Internet.     b. asking Obon 2015 for help.
    c. carrying out fieldwork by himself.

4.  How do many of the Japanese families feel when they receive flags?
    a. They receive a sense of closure.
    b. They are NOT surprised to receive the flags.
    c. They don't want the flags back.

5.  In the last line, what does "powerful symbols" imply?
    a. Personal messages from former American soldiers.
    b. American and Japanese friendships.     c. Yosegaki Hinomaru

*Further Activities*

「寄せ書き日の丸」の他に以下の物が贈られました。何の説明か各自で調べましょう。

a.  A good luck belt for a soldier stiched by one thousand women.
b.  coins to survive to survive beyond the deadline.

## Unit 13    Sowing Seeds of Humanity
### A Hero

*Warm up*

**Task 1**  ★

あなたが考える日本史上の英雄はだれですか。

_____

**Task 2**  ★★

Why is he or she your hero?

_____

_____

*Listening & Short Conversation*  49

---

**Who's Your Hero?**

**A:** Did you watch the Olympics yesterday?

**B:** Yeah, I almost cried watching Hanyu skate; I was so happy. Honestly, I don't really like skating that much, but he's amazing. I was so glad he got the gold.

**A:** Me, too!  He's my sister's hero.  She watches all of his performances and even has an autographed picture of him.

**B:** Your sister's hero.  Really?  So, who's your hero?

**A:** Like from the Olympics?

**B:** No.  It could be anyone.

**A:** Hmm.  I guess I'd say my dad.

**B:** Really?

**A:** Yeah, he's always been there for me and my family.  And I know he just wants the best for me.

**B:** That's a great answer!  And my mom's my heroine.

---

**Task 1**

音声を聴き、以下の練習をしましょう。

## One-Point Listening: Contracted Form （短縮形）

口語英語表現の特徴の一つに短縮形があります。例えば He's は He is, He has の両方に使われます。また Who's と Whose などの聞き違いに気をつけましょう。

| | |
|---|---|
| **He's (=He is/He has)** | **I'd (=I would/I could/I had)** |
| **Who's　cf. Whose** | **won't　cf. want** |
| **It's　cf. Its** | **He's　cf. his** |

会話の中で使われている短縮形を探して丸で囲み、何の短縮形か答えましょう。

## Listening Tips

**Contracted Form （短縮形）**

口語表現で発音が同じ（または似ている）で意味が異なるものに注意しましょう。

**Task 2**

Listen to the following short conversation. Then, with your partner, try a role-play dialogue.

## Grammar　　*to V*　　　（Grammar Sections 参照）

日本語に合うようにペアで正しい文章に並べ替えましょう。
→早く終わったペアは Part 2 Grammar Sections で正解をチェックしましょう。

1. ( ₁. an email　₂. to receive　₃. Keishiro　₄. from Yoshiko
   ₅. was so surprised ) for the first time in 28 years.
   （景史郎は２８年ぶりに佳子からメールを受け取って、非常に驚いた。）

   _____ for the first time in 28 years.

2. ( ₁. is believed　₂. this temple　₃. to have been built
   ₄. in the seventh century B.C. ).
   （この神殿は紀元前七世紀に建てられたと信じられている。）

   _____

3. ( ₁. needs　₂. a secretary　₃. Keishiro　₄. his schedule
   ₅. to manage ).
   （景史郎には、スケジュールを管理してくれる秘書が必要だ。）

   _____

## A Hero

The father wanted his son to become a doctor. The son, however, had other dreams and went against his father's wish. The son dreamed of studying education and living abroad. So, he entered Waseda University and studied English, hoping to become an English instructor. Thus began the life of a young man whose later decisions saved thousands of lives.

At 19 years old, he studied overseas at Harbin Gakuin University in Manchuria (China). After graduating, he stayed in Manchuria and worked as a diplomat. As a highly skilled diplomat, the Japanese government offered him the position of Manchurian Minister of Foreign Affairs. He rejected the offer and returned to Japan.

In 1939, the Japanese government sent the diplomat to open a consulate in Kaunas, Lithuania. Soon after the opening, Germany invaded Poland. The invasion forced many Polish Jews to flee to Lithuania. These Jews had little money and few possessions, but they did bring tales of death.

Those tales prompted the diplomat to act. The Nazi invasion forced the Jews to continue fleeing east. But the Russians only let Jews go through their country if they had transit visas. The diplomat decided to issue transit visas, against the orders of the Japanese government. For a month, "he wrote and signed—300 visas a day all written entirely by hand." His hand ached from writing, but he wouldn't stop. "When he was forced to close the consulate and leave Lithuania, [he] continued writing visas on his way to the train station, in his car and in his hotel."

After the war, he didn't mention his actions and remained unknown. In 1968, a Jewish survivor located him and helped tell the story of Chiune Sugihara, the hero whose decisions saved 6,000 Jews from death.

1. against 背く
2. literature 文学
3. decisions 決定
4. Harbin Gakuin University in Manchuria 満州哈爾浜学院大学
5. diplomat 外交官
6. Manchurian Minister of Foreign Affairs 満州外務省大臣
7. rejected 拒否した
8. consulate 領事館
9. Kaunas カウナス
10. Lithuania リトアニア（当時はソ連の統治下）
11. invaded 侵略した
12. possessions 所持品
13. they did bring tales of death. 彼らは死の話をもたらした。（彼らは死が迫っていると語った）did は強調の do
14. prompted 迅速な行動を取らせた
15. let go through 通過させた
16. issue 発行する

## Task 1　Grammar（to V）

Reading 13 の文中から to 不定詞（to + 動詞の原形）を探して丸をつけ、それぞれの日本語の意味を言いましょう。

## Task 2

音声を聞きながらシャドウイング（同時か少し遅れて読む）しながら、息継ぎやポーズに、スラッシュ（斜めの線）を入れましょう。

## Task 3

Reading を読んで、主人公について正しければ T を間違っていれば F を丸で囲みましょう。

1. **T / F**　He wanted to be a doctor when he was young.
2. **T / F**　He was Manchurian Minister of Foreign Affairs.
3. **T / F**　He saved the Jews because he knew they had enough money and possessions to stay in Japan.
4. **T / F**　He issued transit visas against the orders of the Japanese government.
5. **T / F**　His actions saved many thousands from death.

## Task 4

ペアでじゃんけんをして、勝った人がその sense group（意味のまとまり）毎に音読して、負けた人はリピートしましょう。そしてペアで sense group 毎に直訳しましょう。

## *Further Activities*

時系列に従って（　）内に a～d の出来事を書き込み主人公の略年表を完成させましょう。

a. World War Ⅱ ended.
b. One of his Jewish survivors located him.
c. He became a diplomat and went to Kaunas, Lithuania.
d. He studied at Harbin Gakuin University in Manchuria.

born　　　（　　）　　　（　　）（　　）　　　（　　）　　　died

1900　　　　　1919　　　　1939  1945　　　　1968　　　1986

References

Unit 1

Retrieved on August 20, 2017 from: https://www.malala.org/malalas-story

Unit 2

Retrieved from: http://www.ozharvest.org/market/ on September 12, 2017

Unit 3

Retrieved on March 3, 2017 from: http://mainichi.jp/english/articles/20170129/p2a/00m/0na/003000c

Unit 4

Retrieved on September 28, 2017 from: http://www.huffingtonpost.com/entry/man-skipped-workfor-6-years_us_56c1d32ae4b0b40245c7251

Unit 5

Retrieved on October 12, 2017 from: https://metropolisjapan.com/night-riders/

Unit 6

Retrieved on October 21, 2017 from: https://www.forbes.com/sites/georgebradt/2015/05/27/the-secret-of-happiness-revealed-by-harvard-study/#70c45e4a6786

Unit 7

Retrieved on October 5, 2017 from: https://www.japantimes.co.jp/news/2017/05/23/business/tech/japans-superhuman-sports-games-meld-high-tech-and-athletics/#.WdYo0zBx3IU

Unit 8

Retrieved on November 2, 2017 from: https://www.washingtonpost.com/news/to-your-health/wp/2016/04/13/breakthroug\h-paralyzed-man-regains-ability-to-hold-glass-of-water-through-brain-computer-interface/?utm_term=.75295ac867fa

Unit 9

Retrieved on November 18, 2017 from: https://www.nytimes.com/2017/07/25/well/mind/how-to-boost-resilience-in-midlife.html

Unit 10

Retrieved on October 26, 2017 from: http://www.cetusnews.com/news/Efforts-afoot-in-Japan-to-flag-fake-news-ahead-of-Sunday-s-election-.ryXFROFRPB6Z.html

Unit 11

Retrieved on September 19, 2017 from: https://www.rd.com/health/healthcare/human-brain-development/

Unit 12

Retrieved on December 27, 2017 from: http://nwewsnetwork.org/post/aging-us-veterans-seek-return-captured-wwii-flags-japan

Unit 13

Retrieved on February 3, 2018 from: http://www.jewishpost.com/shalom/Chiune-Sugihara-The-Japanese-Schindler.html

# Grammar Sections

　高校の英語の授業で必ず学習する、

第 1 文型：　**SV**
第 2 文型：　**SVC**
第 3 文型：　**SVO**
第 4 文型：　**SVOO**
第 5 文型：　**SVOC**

という『基本 5 文型』を覚えていますか？ これは 100 年以上も昔に、イギリスの英語学者がイギリス人の教育用に整理したものです。現在では、文型の数をもう少し増やすべきだという意見もありますが、日本の学校では、今もこの基本 5 文型が大切に教えられています。この文型に関する知識は、英語を読み書きする上で（もちろん、話す上でも）、絶対に欠かせない知識です。なぜなら、文型とは文の骨組みであり、骨組みがなければ、その上に何も作れないからです。特に、英語は日本語以上に語句の配置が重要な言語です。日本語のように、『が、を、は、に、へ』など、名詞が文の中でどういった役割を果たしているのか（例えば、主語なのか、目的語なのか）を教えてくれる助詞がないため、まったく同じ語句であっても、文中のどこに配置するかによって働きが違ってきます。そして、この配置を決めるのが動詞です。つまり、動詞の持つ意味が、その右側の配列（文型）を決めるのです。

　この点を意識しながら、Unit 1 と 2 では、英語の基本 5 文型を学習しましょう。まずは、主語の動作を述べる第 1 文型（SV）と、主語が何者かを、つまり、主語の状態や性質を説明する第 2 文型（SVC）を見ていきましょう。尚、Unit 1 と 2 の Exercises に関しては、基本 5 文型の総合問題として、Unit 2 の最後にまとめてあります。

## 1．SV パターン（第 1 文型）は、主語の動作を述べる感覚

　改めて言うまでもなく、S は主語（**<u>S</u>ubject**）、**V** は動詞（**<u>V</u>erb**）です。ご存知のように、どの文型でも SV までの配列は共通です。つまり、英語では、動詞の右側に**目的語**（**<u>O</u>bject**）や**補語**（**<u>C</u>omplement**）が置かれるかどうかで文型が決まるのです。SV パターンとは、V の力が及ぶ対象（O）がないパターン、要するに、主語の**動作を述べているだけ**のパターンです。

　a. <u>Yoshiko</u> <u>danced.</u>
　　　**S**　　　**V**
　（佳子は踊った）

　b. <u>Yasuyuki</u> <u>shouted.</u>
　　　**S**　　　**V**
　（泰之は叫んだ）

ただ、実際には、これだけの情報で文が終わることは、ほとんどありません。通常、『いつ』『どこで』『誰と』『どのように』『なぜ』といった情報が付いてきます。確かに、それらはコミュニケーション上不可欠な情報ですが、**修飾語句（Modifier）** と言って、文を作る要素（骨格）ではありません。

c. <u>Yoshiko</u> <u>danced</u> <u>sadly</u> <u>on the stage</u> <u>yesterday</u>.
     **S**     **V**     **M**      **M**       **M**
（昨日、佳子は舞台で悲しげに舞った）

また、こうした SV パターンでは、主語の動作が『誰に / 何に対して』『どのように』行われたかを伝える『前置詞＋名詞』パターンが動詞の後に続くことも多くあります。やはりこれらも修飾語句（M）であり、重要情報であっても、文を作る骨格ではありません。

d. <u>Yasuyuki</u> <u>shouted</u> <u>at his wife</u> <u>hysterically</u>.
      **S**      **V**     **M**       **M**
（泰之は妻に向かってヒステリックに叫んだ）

e. <u>The police</u> <u>looked</u> <u>into the incident</u> <u>carefully</u>.
    **M**    **S**     **V**      **M**       **M**
（警察は事件を詳細に調べた）

## 2. **SVC パターン**（第 2 文型）は、主語が何者かを説明する感覚

このパターンは、学校で『A ＝ B』と習うものです。"This is a book."（たぶん、一生口にすることはないでしょうが）で使われている be 動詞がその代表格です。『主語＋ be 動詞』の右側には、主語を説明するものが置かれるので、様々な形が可能です。

a. <u>Hiroshi</u> <u>was</u> an <u>accountant</u> at Junichi's office.
     **S**     **V**       **C**
（博は準一の事務所の会計士だった）

b. <u>Shinko</u> <u>is</u> always <u>arrogant</u>.
    **S**    **V**       **C**
（進子はいつも傲慢だ）

c. My <u>dream</u> <u>is</u> <u>to get</u> a gold medal at the next Olympic Games.
      **S**   **V**   **C**
（僕の夢は、次のオリンピックで金メダルを取ることだ）

d. Yoshiko's <u>hobby</u> <u>is</u> <u>driving</u> with her husband on weekends.
       **S**   **V**    **C**
（佳子の趣味は、週末に夫とドライブすることだ）

動詞（V）の後に、accountant（名詞）、arrogant（形容詞）、to get 〜（不定詞）、driving（動名詞）といった語句が続いていますね。これらの語句は補語（Complement）と呼ばれ、主語が何とイコール関係にあるのか、あるいは、どんな内容なのかを説明しています。文型的には第2文型とされ、SVC と表示されます。

　学校では、「be動詞は、『〜です』『〜だ』という意味です」と教えられますが、そうした語尾を強調するような感覚はありません。そんなことを言えば、"I like dogs." も、be動詞ではないのに、『私は犬が好きです』『私は犬が好きだ』となります。be動詞は、**『主語と何かが漠然としたイコール関係にある』**ことや、**『主語がどんな状態や性質なのか』**を述べるときに使われるだけで、積極的な意味はありません。その証拠に、通常、会話では現在形の場合、他の動詞と違って、be動詞は短縮されます（但し、過去形には短縮形はありません。過去形には『隔たり感』といった具体的感覚があり、また、was / were の短縮形も he's / we're となってしまい、現在形との判別がつきにくいからです）。

e. My wife's very warmhearted.
（私の妻は、とても優しい）

f. It's freezing outside today.
（今日、外は凍える寒さだ）

　be動詞に積極的な意味のないことは、それが欠けても文意が伝わる点からも理解できます。

g. Mayumi (is) charming!
（莉由美は可愛い！）

h. They (are) so mad!
（あいつら、とても怒ってるよ！）

i. Akiko (is) in Tokyo!
（晶子は東京にいるよ！）

　さて、この SVC パターンでは、be動詞以外にも使われる動詞があります。その代表例が以下の動詞です。でも、難しく考える必要はありません。何かの動き・変化・結果などが、結局、『S ＝ C』の関係を表しているだけです。つまり、具体的な意味とイコール関係がブレンドされた動詞です。

① 状態や性質の継続を表す動詞（〜のままである）

> **keep, lie, remain, stay, etc.**

j. <u>Ms. Sumikawa</u> <u>kept</u> falling asleep during the meeting.
　　　S　　　　　V　　　C
（隅川先生は、会議の間、ずっと居眠りをしていた）

② 変化を表す動詞（〜になる）

> **become, come**（主としていい意味で）、**go**（主として悪い意味で）、
> **get, grow**（『次第になる』という感覚）、**turn**（『変化してなる』という感覚）、**etc.**

k. <u>She</u> <u>got</u> <u>well</u> after leaving hospital.
    **S**  **V**  **C**

（彼女は退院後元気になった）

③ 五感を表す動詞（〜の感じがする）

> **feel**（〜の手触りがする）、**smell**（〜のにおいがする）、**taste**（〜の味がする）、**etc.**

l. <u>These</u> <u>socks</u> <u>smell</u> <u>bad</u>.
       **S**   **V**    **C**

（この靴下は臭い）

④ 外見を表す動詞（〜に見える、〜のように思われる）

> **appear**（〜に見える）、**look**（〜に見える）、**seem**（〜のように見える、〜のように思われる）、**sound**（〜にように思われる）、**etc.**

m. <u>Masafumi</u> <u>looks</u> <u>happy</u> when eating sushi.
     **S**    **V**    **C**

（寿司を食べているとき、正史は幸せな表情をしている）

　SV と SVC の文型で使われる動詞は目的語（O）を必要とせず、『自動詞』と呼ばれています。更に言えば、SV パターンの動詞は補語（C）も必要としないので、『完全自動詞』、SVC パターンの動詞は補語が必要なので、『不完全自動詞』と呼ばれています。

　一方、SVO / SVOO / SVOC の文型で用いられる動詞は、その作用が他者に加えられるので、『他動詞』と呼ばれています。注意すべきは、日本語では『燃える』（自動詞）と『燃やす』（他動詞）のように、自動詞と他動詞とでは語形が異なりますが、英語ではどちらも burn です。つまり、**英語では、同じ形の動詞を自動詞でも他動詞でも使うことがよくあります。**したがって、自動詞か他動詞かは、動詞の右側の構造で判断しなければなりません。確かに、その動詞が自動詞起源か他動詞起源か、あるいは、どちらの使われ方が主流かといった違いもありますが、自動詞・他動詞の両方で頻繁に使われているものも多いため、『1 動詞＝1 文型』と考えないでください。**特に、中学校で習う基本動詞は、複数の文型で使われるものがほとんどです。**これは、その基本動詞の持つ中核イメージが、拡大可能な範囲で広がっていった結果です。言葉とは、基本語になればなるほど、文脈依存性が高くなるのです。

# Unit 2　英語は語句の配置が大切。その配置を決めるのが動詞！（2）
―動詞の作用（力）が何かに加わる SV ＋ O パターン―

## 1．SVO パターン（第3文型）は、V の作用（力）が O に加わる感覚

　日本語でも、情報を伝えるとき、『誰が何をしたのか』というパターンが一番多いですね。英語も同じです。この『何を』に相当するものを『目的語』（**Object**）と言います。

　a. <u>Akiko</u> still <u>loves</u> <u>him</u>.
　　　 **S**　　　 **V**　 **O**
　　（晶子は、今でも彼を愛している）

　b. <u>Keishiro</u> <u>bought</u> a new <u>PRIUS</u> last week.
　　　　 **S**　　　 **V**　　　　 **O**
　　（先週、景史郎は新しいプリウスを買った）

の him や PRIUS がそれに相当します。中学校で、「him は he の目的格です」と習いますね。これは、『目的語になるときの形』という意味です。だから、he は主語になる形なので、『主格』と言うのです。少し難しい表現をすれば、格とは、『彼』『妻』『車』などの名詞が、文の中で他の語と結び付くときにどういった形になるかを示したものと考えてください。英語では、I / we / you / he / she / they などの『人称代名詞』は、主語と目的語で形が変化しますが、他の名詞は主語と目的語で形は変わりません。

　日本語では、「子猫が大きな犬を噛んだ」と言っても、「大きな犬を子猫が噛んだ」と言っても、名詞の意味役割を教えてくれる『が』『を』という助詞が、『犬』『子猫』という名詞にセットメニューのように付着してくるので、主語と目的語の語順には寛容です。一方、英語にはこうした助詞がないため、文中での名詞の働きを伝えるには、

① 名詞の語形を変えてしまう（例：**desk → deska,　room → roomo**　但し、こんなものはありません）
② 語順で決める
③ 前置詞を導入する（例：**from Tokyo,　with her**）

の中から選ぶしかありません。そして、主語と目的語に関しては②を選び、動詞の前（左側）に置かれる名詞を S、後ろ（右側）に置かれる名詞を O としたのです。英語では語順がとても大切なことは、これでわかっていただけたと思います。何しろ、

　c. A <u>kitten</u> <u>bit</u> a big <u>dog</u>.
　　　　 **S**　　 **V**　　　 **O**

　d. A big <u>dog</u> <u>bit</u> a <u>kitten</u>.
　　　　　 **S**　 **V**　　 **O**

では、意味が正反対になってしまうのですから。

　それでは、この文型の要である『**Vの作用（力）がOに加わる（及ぶ）**』とはどういった意味なのでしょうか。次の英文からそのイメージを掴んでください。

e. <u>Atsuko</u> <u>heard</u> the <u>sound</u> last night.
　　**S**　　**V**　　　**O**
　（昨夜、敦子は例の物音を聞いた）

f. <u>Atsuko</u> <u>heard</u> about Keishiro last night.
　　**S**　　**V**
　（昨夜、敦子は景史郎のことを聞いた）

g. <u>Atsuko</u> <u>heard</u> of Keishiro last night.
　　**S**　　**V**
　（昨夜、敦子は景史郎のことを耳にした）

　e では、聴覚作用が物音に直接及んでいます。つまり、物音を直接聞いたのです。一方、前置詞 about が入っている f では、heard の作用が景史郎に直接及んでいません。つまり、敦子が景史郎の音声（言葉）を直接聞いたのではなく、景史郎に関する情報を聞いたという意味です。例えば、景史郎は誠実な人だとか、優しい男だとか、常識人だとかいった情報を誰かから聞いたというニュアンスです。更に、g の前置詞 of になると、『耳にした』程度といった意味合いが強くなります。

　だから、"I love you." と言ってこそ、愛情が相手に伝わり、また、"Shinko kicked Masafumi when he was down." （進子は正史の弱みにつけ込んで酷いことをした）と言ってこそ、正史が酷い行為を受けたことが伝わります。

→ もう一歩前へ

　S（主語）やO（目的語）には名詞が置かれますが、『彼ら』『静香ちゃん』『車』『情報』といった人や物だけではありません。例えば、日本語でも、「たくさんの人前で歌うのは、とても勇気が要ったよ」「あいつが君を騙そうとしていたことは明白さ」「夫が私を裏切っていないと信じているわ」といったように、単なる人・物以外でも主語や目的語になれますね。英語も同じです。代表例は、動名詞（〜 ing）、to 不定詞（to V 〜）、名詞節（接続詞＋SV 〜）などです。目的語に当て嵌めると、

h. My <u>husband</u> <u>likes</u> <u>teasing</u> the people around him.
　　　**S**　　**V**　　**O**
　（夫は周りの人をからかうのが好きだ）

i. <u>She</u> <u>wants</u> <u>to get divorced</u> as soon as possible.
　　**S**　　**V**　　**O**
　（彼女はできる限り早く離婚したいと思っている）

j. <u>Every one</u> of us <u>believes</u> <u>that Keishiro has a good head on his shoulders</u>.
   **S**          **V**                          **O**

（私たちは皆、景史郎が常識人だと信じている）

k. <u>Yoshiko</u> <u>sees</u> <u>why her husband has caused so many car accidents</u>.
   **S**      **V**                     **O**

（佳子は、夫が車での事故が非常に多い理由を知っている）

となります。

## ２．**SVOO** パターン（第 4 文型）は、誰かに何かをあげる感覚

この文型は目的語が２つあるので、『二重目的語構文』とも呼ばれていますが、そんな難しい名前は覚える必要はありません。要するに、『与える』『教える』『送る』『読む』『運ぶ』『作る』『買う』『料理する』などの動詞はこのパターンを取ることができますが、それはこれらの動詞には、『して<u>あげる</u>』という感覚が根底にあるからです。『教えて<u>あげる</u>』『送って<u>あげる</u>』『作って<u>あげる</u>』『買って<u>あげる</u>』『料理して<u>あげる</u>』といった感覚です。そうすると次に、『誰に？』となるのは自然な流れですよね。この『誰に』にあたる部分が、SVOO の最初の O です。**つまり、文型とは、動詞が持つ意味の投影なのです。**

→ もう一歩前へ 🔍

学校で第 4 文型を第 3 文型へと書き換える練習をさせられた人も多いと思います。つまり、SVOO から SVO+ 前置詞への書き換えです。具体的には、

a. <u>Kumi</u> <u>sent</u> <u>me</u> a <u>box</u> of assorted sweets.
   **S**     **V**   **O**    **O**

（久美は私にお菓子の詰め合わせを送ってくれた）
                 ↓

a' <u>Kumi</u> <u>sent</u> a <u>box</u> of assorted sweets <u>to</u> me.
   **S**     **V**     **O**

b. <u>Yoshiko</u> <u>made</u> her <u>husband</u> <u>teriyaki chicken</u> last night.
    **S**     **V**      **O**        **O**

（昨夜、佳子は夫に鶏の照り焼きを作ってあげた）
                 ↓

b' <u>Yoshiko</u> <u>made</u> <u>teriyaki chicken</u> for her husband last night.
    **S**     **V**      **O**

といった書き換えです。

ところで、SVOO（第 4 文型）を作れる動詞を SVO+ 前置詞（第 3 文型）に書き換えた場合、give, send, tell, teach, read, throw, carry, promise, assign などの『授与、送付、伝達、運搬、約束、割当』等を表す動詞は、前置詞 to を取り、make, build, cook, play, sing, dance, buy, get, find, catch, gain などの『創造、獲得』等を表す動詞は for を取ります（ask / inquire は of）。

c. Keishiro tried to <u>tell the truth to Atsuko</u> in vain.
（景史郎は敦子に真実を話そうとしたが、無駄だった）

d. Atsuko <u>sang that folk song for</u> Sayuri, her daughter.
（敦子は娘の小百合にその民謡を歌ってあげた）

　どちらのタイプも基本形は SVO+to／for～です。それは、『与える』であれ、『作る』であれ、『何をあげたのか』『何を作ったのか』のほうが動詞との結合度が強いからです。だから、『**直接目的語**』と呼ばれています。そして、『～に』という to／for の部分は、直接目的語の『移動先』や『受益者』を新情報として強調する役割を担っています。

　一方、SVOO はこの配列を操作した文型であり、その操作から生まれる効果は、主語の行為の結果、『間接目的語（～に）』が影響を受け、直接目的語を『所有』『受領』『知覚』『認識』したことを含意しています。例えば、上の英文 a や b では、『私が実際お菓子を受け取った』『昨夜、佳子の夫が鶏の照り焼きを食べた』といったニュアンスです。だから、

e. He <u>gives</u> his baby kisses every night. →○

は適格でも、

f. He <u>gives</u> kisses to his baby every night. →×

は不適格とされています。赤ちゃんはキスという行為を受け取れるので（キスした瞬間に受け取っています）、SVOO パターンは自然ですが、赤ちゃんにキスを移動させるという f の状況は不自然だからです。

## 3. SVOC パターン（第5文型）は、O が何者かを伝える感覚

　さあ、第5文型と呼ばれている最後の文型です。『最後の文型』という言い方をすれば、とても難しそうに思えるかもしれませんが、まったくそんなことはありません。SVC の C が『S が何者かを説明する感覚』ように、SVOC の C は『**O が何者かを説明する感覚**』です。だから、SVC の C が S の後に置かれたように、SVOC の C は O の後に置かれます。

a. <u>We</u> <u>think</u> <u>him</u> the <u>wirepuller</u>.
　　**S**　**V**　**O**　　　**C**
（我々は彼が黒幕だと考えている）

b. <u>Atsuko</u> <u>kicked</u> the <u>door</u> <u>open</u> again!
　　**S**　　**V**　　　**O**　　**C**
（敦子がまたドアを蹴破った！）

　a では、『我々は彼のことを何だと思っているのか』、b では、『敦子がドアを蹴飛ばした結果、どうなったのか』を伝えています。お気付きですね？ SVC では、C が S と『（何となく）イコール関係』でしたが、SVOC では、C が O とそうした関係にあるのです。つまり、him＝wirepuller, door＝open の関係です。

　この文型で使われる動詞には、have, get, make, keep, leave, find, think, believe, know, call などの基本動詞が多く含まれています。難しく考える必要はありません。**動**

詞の右側にある **OC** 全体を『（イコール）状況』と捉えて、そうした状況を **have, get, make, keep, leave, find, think, believe, know, call** すると言っているだけです。

→ もう一歩前へ

　さて、文型を決めるのは動詞の意味だと述べましたが、この SVOC パターンにも馴染みやすい基本動詞があります。それは、make, have, let などの『**使役動詞**』と呼ばれているものや、see, hear, feel などの『**知覚動詞**』と呼ばれているものです。こうした動詞の基本イメージを考えれば、当然のことです。例えば、make の本質は『**作る**』です。だとすれば、『夕食を作る』だけでなく、『君が幸せになる状況（you=happy）を作る』という表現も、ごく自然だからです。

c. <u>I'll</u> make <u>supper</u> tonight.
　　S　 V　　 O
（今夜は、私が夕食を作るわ）

d. <u>Hiroshi</u> <u>couldn't make</u> his <u>wife</u> <u>happy</u>.
　　　 S　　　　 V　　　　 O　　 C
（博は妻を幸せにできなかった）

　『見る』『聞く』などの知覚動詞も同様です。『純子を見た』が、『純子が食べている状況（Junko=eating）を見た』に繋がるのも、自然な言語感覚です。

e. <u>We</u> <u>saw</u> <u>Junko</u> yesterday.
　　S　 V　　 O
（昨日、純子を見かけたよ）

f. <u>We</u> <u>saw</u> <u>Junko</u> <u>eating</u> a big rice ball yesterday.
　　S　 V　　 O　　 C
（昨日、純子が大きな握り飯を食べているのを見かけたよ）

　尚、f では、微妙なニュアンスの差はありますが、eating（現在分詞）を eat（原形不定詞）に変えることもできます。

→ →さらにもう一歩前へ

　学校では、第3文型と第5文型の書き換え練習をしたかもしれません。代表例が、

g. <u>Atsuko and Junko</u> <u>think</u> <u>that Keishiro is a truthful man</u>.
　　　　　 S　　　　　 V　　　　　　　　 C
　　　　　　　　　　　　 ↓
h. <u>Atsuko and Junko</u> <u>think</u> <u>Keishiro</u> a truthful <u>man</u>.
　　　　　 S　　　　　 V　　 O　　　　　 C
（敦子と純子は、景史郎を誠実な男性だと思っている）

です。どちらも日本語では、『敦子と純子は、景史郎が誠実な人だと思っている』となりますが、g では、敦子と純子が景史郎と直接会ったことがなくても、周囲の噂や伝聞か

らそう思っているというニュアンスが含まれています。一方、h の SVOC では、S の実体験に基づいているというニュアンスが強くなります。つまり、敦子と純子は景史郎と会ったり話したりして、彼の人柄に直接触れたことが含意されています。VOC と連続している近接性が、そうしたニュアンスの差に繋がっているのかもしれません。このように言語では、一見同じ意味に思えても、『**表現が異なれば、必ず意味に違いが生じる**』という点を忘れないでください。

### Exercises

**1．次の英文の主語（S）・動詞（V）・補語（C）・目的語（O）を指摘せよ。**

(1) This store opens at ten.
（この店は 10 時に開く）

ヒント：　・『前置詞＋名詞』は **M**（修飾語句）と考えること。

(2) Mamiko went to America to study English.
（真美子は英語を勉強するため、渡米した）

ヒント：　・**to America** は『前置詞＋名詞』
　　　　・**to study** の働きは？何かを修飾しているのなら、文の骨格（**SVOC**）ではない。

(3) You'll find the romance one-sided.
（報われぬ恋なのに）

ヒント：　・**romance＝one-sided** だと **find** するだろう。

(4) Mr. Myojo showed us how naïve he was at the meeting.
（明城先生は、自分が如何に世間知らずかを会議で露呈した）

ヒント：　・**show** は『見せる』という意味から、授与タイプの動詞にも収まりやすい。
　　　　・**how ～ was** までが名詞の働きをしている。

(5) What the guy said sounded extremely logical.
（あいつが言ったことは、極めて理に適っていると思えた）

ヒント：　・**What ～ said** までが名詞の働きをしている。
　　　　・**sound** は『音がする、響く』→『～のように思える』となる。
　　　　・**extremely** は『極めて』という意味の副詞。副詞は **SVOC** のどれにもなれない。必ず **M**（修飾語句）になる。

(6) That mistake cost Hirofumi his job.
（あの過ちで博史は仕事を失った）

ヒント：　・**cost** は『**A** に **B** をもたらす』という意味の授与型動詞としても使える。ただ、もたらされる物（**B**）が、費用、手間、損傷、苦痛、生命的損害などの『犠牲』に使われる。まさに、コストである。

(7) Your new dress becomes you very well.
（新しい服がとてもお似合いですね）

ヒント：　・**become** の他動詞用法。『あなたになる』ではない（根底にあるのは同じイメージだが）。

(8) Whose car were you driving yesterday?
（君は昨日、誰の車を運転していたのだ？）

ヒント：　・英語では疑問詞（**who, what, whose, which, etc**）を用いた疑問文は、必ず疑問詞が文頭に置かれるが、それらが主語とは限らない。文中での働きから判断するように。

**2．(1) ～ (5) の英文と同じ文型のものを、それぞれ下の (a) ～ (e) から選べ。**

(1) The peak rises above the clouds.

　　ヒント：　・**above the clouds** は『前置詞＋名詞』、つまり、修飾語句。

(2) The leaves in Kyoto have turned red.

　　ヒント：　・『色が変化した結果、**leaves=red** になった』という意味。

(3) Keishiro has a new PRIUS.

　　ヒント：　・景史郎の所有権が新型プリウスに及んでいる。

(4) The trip to Onomichi brought me memories of my wife.

　　ヒント：　・**bring** は **come** の他動詞と考えればわかりやすい。『持ってくる』という意味から、二重目的語構文
　　　　　　　とも馴染む。

(5) Yoshiko's husband imagined himself a hero in a small town.

　　ヒント：　・『自分＝ヒーローという状況を想像した』という意味。

　　(a) The milk went sour in a day.
　　(b) Shinko throws cold water on everything.
　　(c) Akio thought it better to tell the truth to his wife.
　　(d) Oil doesn't mix with water.
　　(e) The female stalker gave him her cheek to kiss.


**3．次の（　　）内から正しいものを選べ。**

(1) These eggs went ( bad, badly ).

　　ヒント：　・**go, come, get, turn, run, fall, grow** などの『移動』を表す動詞は、『ある状態が別の状態への移動
　　　　　　　する』という意味から、『**S** は **C** へ状態変化する』（**S** は **C** になる）を表すことができる。但し、同じ『～
　　　　　　　になる』であっても、その動詞が持つ基本イメージの影響を受けている。では、**go** と **come** のイメー
　　　　　　　ジの違いは？

(2) Things will come out ( all right, all rightly ).

　　ヒント：　・(1) のヒントを参照。

(3) Chikako's dress smells ( sweet, sweetly ).

　　ヒント：　・『味がする』『匂いがする』『手触りがする』といった五感で捉える表現も、実質的な意味では **S ＝ C**
　　　　　　　となる。既述のように、副詞は **SVOC** のどれにもなれない。

(4) I sold the car ( to, in, of ) Akio, a psychologist.

　　ヒント：　・前置詞 **to** は『到達先』、**for** は『受益者』、**of** は『母集団』と考えるとわかりやすい。では、**sell**（売る）
　　　　　　　という動詞とマッチングがいいのは？

(5) Will you choose a book ( to, for, of ) my son ?

　　ヒント：　・**to, for, of** のイメージは前述のとおり。では、**choose**（選ぶ）という動詞とマッチングはいいのは？

(6) Masafumi inquired ( to, for, of ) Chiharu what had made the mean boss mad.

　　ヒント：　・英語には『文末重点の原則』や『文末焦点の原則』があり、情報量の多い部分や、新しい情報は文末
　　　　　　　に置かれる傾向がある。ここでは、**inquired** の目的語 **what ～ mad** の部分が文末に置かれている。
　　　　　　　・**inquire** の意味は『尋ねる』だが、情報の獲得源に馴染む前置詞は？

(7) Unfortunately, Yoshiko ( married, married with ) a wealthy oddball.

> ヒント： ・『結婚する』は、神の前で神父さんや牧師さんに結婚式を挙げてもらっていたの
> で、受身（**be married to ~**）で表現されることもあるが、例えば、『僕と結婚し
> てください』というプロポーズの言葉は他動詞として使われる（**Will you <u>marry</u>
> <u>me?</u>**）。では、他動詞には前置詞は必要か？ **I love you** を考えれば、答は明白。
> ・**oddball** は『変人』という意味。

(8) Tomoharu looks happy when he ( describes, describes about )
the incident about Hiroshi.

> ヒント： ・**discuss**（~について議論する）、**describe**（~について述べる）、**mention**（~に
> ついて言及する）などの動詞は、『~について』という日本語から、前置詞 **about**
> が必要に思えるが、目的語である話題やテーマに直接言い及ぶイメージが強いの
> で、他動詞として使われる。

(9) Would you introduce ( me the good-looking guy, the good-looking guy to me )?

> ヒント： ・**introduce**（紹介する）、**explain**（説明する）、**suggest**（提案する）、**confess**（自白する）などの動
> 詞は、その意味から **SVOO** パターンを取れそうだが、実際は不可。これが、『文法的にはあり得そう
> だが、語法的には不可』という **usage**（語の使用法）の難しさである。

(10) His way of speaking suggested ( me his anger, his anger toward me ).

> ヒント： ・（9）のヒントを参照。

## 4．空所に1語を入れて英文を完成させるとき、適切でない語を1つ選べ。

(1) Keishiro always ( ) calm.

  ① saw   ② stayed   ③ remained   ④ seemed

> ヒント： ・『~のままでいる』『~のように見える』という意味の動詞は、**SVC** パターンで使われる。
> ・**calm** は『落ち着いた』という意味の形容詞。
> ・**seem** は『（主語が）~を見る』ではなく、『（主語の外見や様子が）~のように見える』という意味。

(2) Junichi ( ) it necessary to talk to Hidemitsu.

  ① finds   ② believes   ③ considers   ④ becomes

> ヒント： ・**O** が何なのかを説明するパターン。つまり、**SVOC** パターンで使われる動詞は？

(3) Chiharu ( ) Mr. Takenami walking arm in arm with a beautiful woman.

  ① brought   ② imagined   ③ caught   ④ saw

> ヒント： ・**O** が何なのかを説明するパターン。つまり、**SVOC** パターンで使われる動詞は？
> ・ここでの **caught** は、『目で捕らえた→目撃した』という意味。**catch** の対象は動いているもの。した
> がって、野球などでボールを捕るときは **catch** を使う。止まっているボールを捕っても競技にならな
> い。尚、**catch-ball** は和製英語。英語で『キャッチボールをする』は、**play catch** と言う。

(4) Yoshiko ( ) her husband to behave himself.

  ① wanted   ② expected   ③ hopes   ④ asked

> ヒント： ・『欲求』『期待』『要求』『命令』『依頼』などを表す動詞には、**SVO to V ~**と
> いう形を取れるものが多い。『**O** に要求、命令、期待、依頼などの圧力を加えて、
> **to V** させる方向へ持っていかせる』という意味が、そうした構造を取らせて
> いる。ただ、『~だったらいいなぁ』（話し手の願望）という、**O** に対する圧
> 力を感じさせない動詞は、**SVO to V ~**の形では使えない。
> ・**behave oneself** は、『行儀よく振舞う』という意味。

(5) They (　) to play baseball.

①　hoped　　②　finished　　③　wanted　　④　decided

ヒント：・**to**不定詞（**to V**）と動名詞（〜**ing**）は、共に名詞の働きをするが（〜すること）、to不定詞は述語動詞に対して未来的要素（**to V**のほうが後で起きる）を含んでいるのに対して、動名詞は述語動詞に対して『同時』か『過去』を表す場合が多い。では、これからすることを『終える』『楽しむ』というのは可能か？

## 5．次の日本語を、指示に従って英訳せよ。

(1)　appear を用いて

①　変な男が、突然暗闇の中から現れた。

②　純子は娘の合格を聞いて幸せそうだ。

ヒント：・**SV**パターン（①）と**SVC**パターン（②）。

(2)　remain を用いて

①　そうした風習は未だこの国の地域によっては残っている。

②　5月は依然として寒かった。

ヒント：・**SV**パターン（①）と**SVC**パターン（②）。

(3)　grow を用いて

①　米はこの地域ではよく育つ。

②　私が気付かぬうちに（before I noticed）、晶子は年を取った。

③　父は温室で苺を栽培している。

ヒント：・**SV**パターン（①）、**SVC**パターン（②）、**SVO**パターン（③）。

(4)　turn を用いて

①　地球は太陽の周りを回っている。

②　ここの木々は、10月に紅葉する。

③　美しいブラジルの客室乗務員は、その笑顔を景史郎に向けた。

④　昇進の知らせで、正史の髪は一夜にして白くなった。

ヒント：・**SV**パターン（①）、**SVC**パターン（②）、**SVO**パターン（③）、**SVOC**パターン（④）。

(5)　leave を用いて

①　明日、東京に向けて小倉を発つ予定だ。

②　昨日、財布をタクシーに置き忘れた。

③　夫は私に一銭も残さなかった。

④　あの鬱陶しい男は（that annoying guy）、妻を一人にさせなかった。

ヒント：・**SVO**パターン（① ②）、**SVOO**パターン（③）、**SVOC**パターン（④）。

# Unit 3　　基本動詞は英語表現の泉（1）

　基本文型を学べば、基本動詞についても勉強しなければなりません。なぜなら、英文の型を決めるのは動詞の意味であり、数ある動詞の中でも、基本動詞は圧倒的に使用頻度が高いからです。

　基本動詞とは、中学単語にほとんど含まれています。皆さんは記憶にありますよね？

**get — got — got**
**have — had — had**
**make — made — made**
**take — took — taken**
**buy — bought — bought**

など、授業や宿題で暗記させられたのではないでしょうか。そのときは、無味乾燥な機械的暗記に苦痛を感じたかもしれませんが、実は、これら 20 〜 30 個の基本動詞を使いこなせるようになれば、英語表現の 7 〜 8 割以上は OK と言っても過言ではありません。特に、話し言葉では、基本動詞を使えなければ、コミュニケーションは不可能になってしまうほど、使用頻度は断トツです。どの言語においても、基本語になればなるほど、意味が広がっていきます。言い換えれば、『文脈依存性』（contextual dependency）が高くなります。例えば、日本語の『イヤらしい』という言葉を取り上げてみましょう。この語は、性的な意味でも使われますが、それだけではありません。『金にイヤらしい』と言えば、『金に汚い』『ケチだ』という意味になり、『なかなかイヤらしい柔道をする』と言えば、『粘り強い柔道』『手強い柔道』という、寧ろ相手を評価する意味になります。一方、『猥褻』という専門度の高い語になると、性的な意味に限定されてしまい、イメージの広がりはありません。『猥褻な柔道』をする奴とは、絶対に対戦したくありません。

　ここでは、中学英語で学ぶ代表的基本動詞を 10 個取り上げ、それらの基本イメージから如何に多彩な表現が湧き出ているのかを見ていきます。きっと、「こんな簡単な動詞で、こんなにコミュニケーションができるんだ！」と驚かれることでしょう。

## １．be

　中学で真っ先に出会う動詞ですね。本来の意味は、『**存在している**』です。今では、"Your kid is here."（お子さんはここにいますよ）といった軽い意味では使われますが、"A ghost is."（幽霊は存在する）といった形で使われることは、滅多にありません。

a. Kumi <u>is</u> in Zushi. → 逗子に存在している。
　（久美は逗子にいる）

　また、『存在している』という本質は、『**〜の集合体の一員として存在している**』という意味へ繋がっていきます。

b.　My daughter <u>is</u> a dentist. →歯医者の集合体の一員である。
　　（娘は歯医者です）

c.　Yoshiko <u>was</u> warmhearted. →優しい女性の集合体の一員だった。
　　（佳子は優しかった）

　尚、be 動詞は状態動詞、つまり、静的な動詞ですが、助動詞 will と副詞（句）を伴うと、『行く』『戻る』などの移動を表すこともあります。これもやはり、『存在している』から派生しています。

d.　I'll <u>be</u> there in ten minutes.
　　（**10** 分でそこに行くよ）→ **10** 分でそこに存在するよ。

e.　He'll <u>be</u> back in a moment.
　　（彼はすぐに戻るから）→すぐに元の場所に存在するから。

## 2．**have**

　have も、中学で最初に遭遇する動詞ですね。本来の意味は、お馴染みの『持っている』です。これも be と同じく、状態動詞です。状態動詞とは、

（1）それ自体一定の継続状態を表すので、進行形にできない、
（2）自分の意思ではどうすることもできないので、つまり、行為性に欠けるので、命令文では使えない、

とされています（これらにも例外はありますが）。例えば、『現在、車を持っている』と言いたければ、

　　a.　I <u>have</u> a car. ○
※　b.　I'm having a car.

となります。
　この『持っている』という広くて深いイメージは、さまざまな表現へと拡大していきます。それは、『持っている』というのは、『手に持っている』『所有権がある』という意味だけでなく、『**自分の空間や領域内に置いている**』『**経験として持っている**』『**～の状況を抱えている**』という意味にも繋がって行くからです。そして、対象は人・物・状況すべてが可能です。次の例文を見てください。

c.　I believe Hirofumi <u>has</u> you.
　　（きっと博史は、あなたのことを騙しているのよ）→ 自分の支配領域に相手を持っている。

d.　Kumi <u>had</u> a hard time taking care of her mother.
　　（久美は母親の介護で苦労した）→ 苦労した経験を持った。

e.　Sayuri <u>has</u> finished the assignment.
　　（小百合は課題を終えている）→課題を終えた状況を持っている。

f. Hiroshi <u>has</u> played the guitar at that concert hall.
（博はあのコンサートホールで３回ギターの演奏をしたことがある）→ ３回演奏した経験を持っている。

　更に、have は SVOC パターンでもよく使われます。学校では、『have+ 人 + 動詞の原形』とか、『have+ 物 + 過去分詞』といった機械的暗記をさせられますが、根底にあるのは、あくまで have の基本イメージである『（自分の所有空間や状況下に）持っている』です。

g. I <u>had</u> him drive me home last night.
（昨夜は彼に家まで車で送らせた / 送ってもらった）→ 彼が家まで車で送ってくれる状況を持った。

h. I won't <u>have</u> you speaking that way about Chiharu.
（君が千春のことをそんなふうに言うのは許せない）
　　　→君が千春のことをそんなふうに言う状況を持つつもりはない。

## ３． get

　基本動詞の中で断トツに守備範囲が広いのが、この get です。もちろん、その根底にあるイメージは、『手に入れる』です。このイメージは、主語の意思の有無や、目的語の内容を問わず広がっていきます。そして、主語に意思がある場合は、『**獲得する**』『**買う**』『**理解する**』へ、意思のない場合は、『**受け取る**』『**手に入る**』へ繋がっていきます。

a. Wakako <u>got</u> five rice balls at the store.
（稚子はその店で🍙を５個買った）→ 主語に意思あり。

b. Masafumi couldn't <u>get</u> the point of Yasuo's story.
（正史は康男の話の要点を理解できなかった）→ 主語に意思あり。

c. Junko <u>got</u> a short email from Mr. Nibe.
（純子は二部先生から短いメールを受け取った）→ 主語に意思なし。

d. Ritsu <u>got</u> a huge amount of money from his father last month.
（先月、律は父親から大金を貰った）→ 主語に意思なし。

　更には、have と同様、目的語になる対象も、人、物、状況など無限の広がりを持っています。ただ、get は対象をほとんど制限することのない基本動詞なので、何の脈絡もなく使えば曖昧模糊として意味が伝わりにくい語、つまり、最も文脈依存性の高い語です。また、その万能的な意味や簡潔な響きから、日常会話では多用され、親密感を醸し出してくれる半面、改まった場や目上の人との会話では、使い過ぎると教養や礼儀を疑われるおそれがある点にも注意してください。

　get も SVOC パターンでよく使用されます。この場合も O と C の間に状況が成立していて、そうした状況を主語は get すると言っています。もちろん、C に置かれる形は O との関係で決まります。

e. I'll <u>get</u> Ms. Matsueda to meet you at the airport.
（松枝さんに空港で迎えさせますよ）

f. Akio got his wig blown off by the wind.
　（明夫は風でカツラを吹き飛ばされた）

g. Get this machine running, Hiroko.
　（裕子、この機械を動かして）

→ もう一歩前へ 🔍

　『人に〜させる／してもらう』という場合、have が C の位置に原形不定詞（動詞の原形）を取るのに対して、get は to 不定詞（to V 〜）になります。これは静的な have と違って、get には『手に入れる』という動的感覚があるからです。つまり、**『O を to V 〜まで動かす』**という動的ニュアンスが含まれているからです。

　最後に、こんなふうに get を使いこなせたら、バッチリです。

h. Get a search-and-resucue team down here and dredge the bottom of the spillway.
　（捜索救助隊をこちらに出動させて、放水路の底をさらわせるんだ）

i. Get yourselves across the bridge!
　（橋を渡れ！）

## 4．make

　make は創造を表す最も基本的な動詞です。もちろん、その本質は『作り出す』です。より正確に言えば、手を加えたり、努力したりして人、物、状況を作り出すというイメージです。

a. Mona made cheese into ice cream.
b. Mona made ice cream from cheese.
　（モナはチーズからアイスクリームを作った）

チーズに手を加えてアイスクリームを作り出しているというイメージです。a では原料のチーズが、b では作り出されるアイスクリームが made の目的語になっています。また、『作り出す』というイメージは、有無を言わさぬ絶対的な力を感じさせるため、主語が人の場合は強制を、無生物の場合は因果関係を表します。

c. Yasuo made Masafumi attend the meeting in Osaka.
　（康男は正史を大阪での会議に出席させた）

d. The heavy snow made Atsushi give it up.
　（大雪のため、敦は断念せざるを得なかった）

これらは SVOC（第 5 文型）ですが、『康男は正史が出席する状況を作り出した→正史を出席させた』『大雪は敦が断念する状況を作り出した→大雪のため、敦は断念せざるを得なかった』と理解すれば、簡単ですね。

　最後に、こんな make も使えるようになってください。

e. What do you <u>make</u> of his remarks?
　（彼の発言を材料にして、何を作り出しますか？→彼の発言をどう解釈しますか？）

f. Tomoharu <u>made</u> fun of my driving skills.
　（智治は私の運転技術を材料にして、物笑いの種を作り出した→私の運転技術をバカにした）

g. Kaoru <u>made</u> him a good wife.
　（かおるは自分を材料にして＜**of herself** という意味が含まれている＞
　　　　彼にとって良き妻を作り出した→ かおるは彼の良き妻になった）

　gの構文では、good, great, wonderful, lovely など、肯定的な評価形容詞が使われるのが通常です。『彼を良き妻にした』という倒錯的な意味ではありません。

h. Are you able to <u>make</u> the station by ten?
　（10時までに駅を作れますか？→ 10時までに駅に着けますか？）

『駅を作れますか？』と訳さないように。大工さんではありません。『駅に着く状況を作り出せますか？→駅に着けますか？』となります。『作り出す』というイメージは、『成し遂げる』『到達する』というイメージにも繋がるからです。

i. I <u>made</u> it last night!
　（昨夜、遂に作りだしたんだ！→昨夜、遂に上手くいったんだ！）

日常会話でよく使われる表現です。いったい何が上手くいったのですかね？試験、ビジネス、それとも彼女との関係？もちろん、それは文脈で決まります。

j. I <u>make</u> it ten past six.
（頭の中では6時10分過ぎを作り出している → 6時10分過ぎだと思う）

## 5．**take**
　基本イメージは、『とる』で大丈夫です。ただ、『とる』には、『取る、採る、捕る、摂る、獲る、撮る』等、多種多様な『とる』がありますが、take はそのほとんどに使えます。そして、どの『とる』であっても、目的語を自らの領域内に取り込んだり、引き受けたりすることがその本質なので、『**選択の意思**』が込められています。この選択の意思は、buy, purchase, rent にはない積極的な感覚です。

a. Reiko <u>takes</u> this medicine every day.
　（令子は毎日この薬を飲んでいる）→ 薬を体内に取り込んでいる、つまり、摂取している。

b. Yoshiko <u>is taking</u> good care of her husband.
　（佳子は夫の世話をよくしている）→ 世話（care）を自分の領域内に引き受けている。

一方、次の表現は take の基本イメージからの連想が難しいかもしれません。

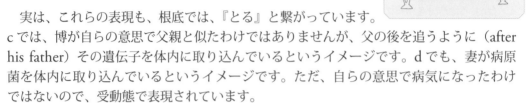

   c.　Hiroshi <u>takes</u> after his father.
　　　（博は父親似だ）

   d.　My wife <u>was taken</u> ill.
　　　（妻は病気になった）

　実は、これらの表現も、根底では、『とる』と繋がっています。
c では、博が自らの意思で父親と似たわけではありませんが、父の後を追うように（after his father）その遺伝子を体内に取り込んでいるというイメージです。d でも、妻が病原菌を体内に取り込んでいるというイメージです。ただ、自らの意思で病気になったわけではないので、受動態で表現されています。

　また、take は無生物主語構文でも使われます。

   e.　It <u>took</u> (me) four hours to reach Sendai by car.
　　　（車で仙台に辿り着くのに 4 時間かかった）

   f.　This work will <u>take</u> a lot of patience to complete.
　　　（この仕事を完成させるには、多大の忍耐を要するだろう）

これらの文では、主語の意思は含まれていませんが、『所要時間に 4 時間<u>取られた</u>』『多大の忍耐を<u>取られるだろう</u>』と言っており、take のイメージから外れるものではありません。

　最後に、take が移動に使われる場合を紹介しましょう。このときの take は、go の他動詞と考えてください。つまり、『主語が人や物を取り込んで、それを他の場所へ持っていく』というイメージです。

   g.　Will you <u>take</u> me to Tokyo Station?
　　　（東京駅までお願いします）

   h.　<u>Take</u> this money with you.
　　　（このお金を持って行きなさい）

## **Exercises**

1．すべての語は、その根底にあるイメージから意味を生み出している。次の（　）内
　に **be, have, get, make, take** の何れかの基本動詞を入れよ。尚、日本語に応じて、適
　切な形に変えよ。また、同じ語を２度使ってはいけない。

(1) I'm glad you could (　　　) it.
　　（来てくれてありがとう）
　　　ヒント：　・『君がこの場に到達できる状況を作り出せた』と考える。

(2) You must realize that you have been (　　　) by Yasuyuki.
　　（泰之に騙されていたことに気付くべきよ）
　　　ヒント：　・『泰之の領域内に取り込まれていた』と考える。

(3) Don't (　　　) it personally, please.
　　（個人的に責めているのではありません）
　　　ヒント：　・『個人的なものとして取らないで』と考える。

(4) What exactly don't you (　　　)?
　　（はっきり言って、何がわからないんだ？）
　　　ヒント：　・『何が頭に入ってこないの？』と考える。

(5) (　　　) on your guard against pickpockets!
　　（スリに用心しなさい！）
　　　ヒント：　・『用心した状態でいなさい！』と考える。

2．基本動詞 **have** は、お金、車、友人などだけでなく、状況や経験を『持っている』と
　いうイメージにも繋がっていく。次の（　）内に、日本語に応じた英語を入れよ。

(1) (　　　) you ever (　　　) that Chinese woman?
　　（あの中国人女性に会ったことはあるの？）
　　　ヒント：　・『会った経験を持っているのか？』と考える。

(2) Yasuo (　　　) just (　　　) it out on his wife.
　　（泰夫は妻に八つ当たりをしてしまった）
　　　ヒント：　・『妻に八つ当たりをする状況を持った』と考える。
　　　　　　　　・**take it out on ～**　　～に八つ当たりをする

(3) Akio (　　　) it (　　　) last night.
　　（明夫は昨夜仕返しをされた）
　　　ヒント：　・『それがやって来る状況を持った』と考える。

(4) (　　　) this pie I made for you, Keishiro.
　　（景史郎、あなたのために作ったこのパイ食べて）
　　　ヒント：　・『持っている』に行為性が強くなると、『食べる』『飲む』へと繋がっていく。

(5)  Chiharu and Nobuko (      ) (      ) (      ) a pleasant time until Shinko came in.

（進子が入って来るまで、千春と信子は楽しんでいた）

ヒント：・『持っている』に行為性が強くなると、『〜のひと時を経験する』になる。
・過去完了進行形になることに注意。

## ３．基本動詞のイメージに着目して、次の英文を和訳せよ。

(1)  It would be an honor to have you at the party tonight.

ヒント：・『パーティーであなたを持っている』とは？

(2)  Shizuka was very happy to have Keishiro staying with her.

ヒント：・『景史郎が泊まっている状況を持っている』とは？

(3)  His novel really got Atsuko.

ヒント：・『敦子を捕らえた』とは？

(4)  That experience made a man of Koji.

ヒント：・『光司を材料にして男を作り出した』とは？
・この of は『材料』を表している。前置詞 of の本質は『母集団』だが、母集団とは何かを生み出す源、すなわち、原材料を表すこともできる。

(5)  We couldn't take any more of that female teacher's arrogance.

ヒント：・『これ以上引き受けることはできない』とは？

## ４．基本動詞 be, get, make, take を用いて、次の日本語を英訳せよ

(1)  もっと優しくしてくれませんか？

ヒント：・『kind の状態でいてください』と考える。

(2)  正史は藤野教授とは上手くやっていけなかった。

ヒント：・『〜と一緒にいる（along with 〜）状況を手に入れることができなかった』と考える。

(3)  明城先生の話はさっぱりわからなかった。

ヒント：・『明城先生の話を材料にして、何も作り出せなかった』と考える。

(4)  敦は子どもの世話を喜んでやっている。

ヒント：・『子どもの世話をすることで喜びを取り入れている』と考える。

(5)  警察はそれを不動産詐欺とみなした。

ヒント：・『不動産詐欺と取った』と考える。
・不動産詐欺  a real estate fraud

# *Unit 4*　　基本動詞は英語表現の泉（2）

　前回に引き続き代表的基本動詞を紹介し、英語表現においてそれらが占めている大きな役割について見ていきましょう。今回は give, keep, leave, go, come の5つです。

## 1．give

　『持ってくる』の bring が、『持っていく』の take の対極にあるとすれば、『**自分の領域から出す**』という意味の give は、『**自分の領域へ取り込む**』という意味の take と対極にあります。"give and take"（持ちつ持たれつ）といった表現があるのもそのためです。

　学校では、give は『与える』と教わりますが、それは単なる1つの訳例に過ぎません。目的語となる対象も幅広く、自分の領域内から外に出すというイメージに合致する限り、『教える』『伝える』『述べる』『見せる』『行う』『もたらす』『生み出す』『提出する』等、日本語でも限りなく訳例は変化していきます。更に言えば、give は主語や目的語に人、物、出来事の何れも取ることができ、主語に意思がある場合にも、意思がない場合にも使えます。

　a. Please <u>give</u> your parents my regards.
　　（ご両親によろしくお伝えください）→ 主語に意思あり。

　b. Atsuko <u>gave</u> my room's door several kicks.
　　（敦子は私の部屋の扉を、数回蹴飛ばした）→ 主語に意思あり。

　c. That advice didn't <u>give</u> Hirofumi any inspiration.
　　（あの助言を受けても、博史はまったく閃かなかった）→ 主語に意思なし。

　d. Yoshiko <u>gave</u> a sudden scream when she saw her husband.
　　（夫を見て、佳子は突然悲鳴を上げた）→ 主語に意思なし。

すべての文が、『主語が自分の領域内から目的語を外に出す』というイメージに裏打ちされていることを理解していただけると思います。

　ここでは、give の用法に関して、3点注意してください。1つ目は、

　e. Atsuko <u>gave</u> the door a kick.
　　（敦子は扉を蹴飛ばした）

は適格な文ですが、

※f. Atsuko <u>gave</u> a kick to the door.

は適格性に欠けます。この点は既に文型の箇所でご説明したとおりです（Unit 2 の SVOO の箇所を参照）。もっとも、相手が受け取った場合でも、相手の地位や相手との心理的距離感によって、

g. Keishiro <u>gave</u> a brief report to the president.
  （景史郎は、学長に簡潔な報告書を提出した）

といった give B to A 型で表現する場合もあります。

　2つ目は、give が前置詞を伴うときは、"He gave the car <u>to</u> a cousin in Hokkaido." と、必ず to になると思われている点です。しかし、表現形式（文の構造）は意味によって変化します。何かを手に入れる対価や犠牲として、目的語を与える場合は、

h. You'll have to <u>give</u> ten million yen <u>for</u> that deal.
  （その取引を手に入れるためには、1,000 万円の代償が必要だ）

と、『交換』を表す前置詞 for が使われます。

　3つ目は、"give A" と目的語が1つだけの第3文型（SVO）で使われることはないと誤解されている点です。

i. Akiko suddenly <u>gave</u> a scream.
  （晶子は突然、悲鳴を上げた）

j. Kaoru <u>gave</u> a hand.
  （かおるは手を貸してくれた）

といったように、無意識的な行為がなされた場合や、"I jumped." という SV だけでは文としての収まりが悪いときは、SVO 型で使われることもあります。


## 2．keep

　学校では、keep を『保つ』と習いますね。日常では、『ボトルをキープする』『座席をキープする』『相手の信用をキープする』など、カタカナのまま幅広く使われています。keep の本質は、『**物や状態を持ち続ける**』ということです。したがって、人が主語の場合は、常に『持ち続けようとする意思』が含まれています。この点が、有意思でも無意思でも使える『持っている』の have との違いです。

a. Keishiro always <u>keeps</u> his word.
  （景史郎はいつも約束を守る）

b. You must <u>keep</u> this lesson in your mind.
  （この教訓を心に留めておくように）

c. Jun <u>kept</u> the seat for his new girlfriend.
  （純は新しい彼女のために席を取っておいた）

d. Yasuyuki and Yoshiko <u>keep</u> a Japanese restaurant in Rio.
  （泰之と佳子は、リオで日本料理店を経営している）

e. Mitsuru <u>has kept</u> a diary since he was ten years old.
  （允は 10 歳からずっと日記をつけている）

f. Mr. Shinoki <u>keeps</u> a huge amount of money in several banks.
（篠木先生は、いくつかの銀行に大金を預けている）

g. Hiroshi cannot <u>keep</u> himself, much less his wife and children.
（博は自分１人でも食べていけない。妻子を養うなんて、尚更無理だ）

などの文では、『守る』『心に留める』『取っておく』『経営している』『つけている』『預けている』『食っていく』と訳例は変化していますが、その根底にある『物や状態を持ち続ける』というイメージは不変です。

それがわかれば、S keep C（第２文型）や S keep OC（第５文型）も楽勝ですね。『S は C の状態を続けている』『S は O=C の状態を続けている』と言っているだけで、本質は同じです。

h. That girl in white <u>kept</u> smiling.
（白い服を着たあの女の子は、絶えず微笑んでいた）

i. You should <u>keep</u> quiet.
（静かにしていなさい）

j. The medicine <u>kept</u> me awake last night.
（その薬のお蔭で、昨夜は眠れなかった）

k. I'm sorry to <u>have kept</u> you waiting so long.
（こんなにお待たせして、申し訳ありません）

では、最後にこんな英文はどうですか？

l. The news of the success couldn't <u>keep</u> Junko from crying.
（合格の知らせを受けて、純子は泣かずにはおれなかった）

学校では、"keep A from 〜ing" で、『A に〜させない』という意味の熟語として習いますが、『〜することから A を離れた状態に保つ』→『A に〜させない』となるだけです。


## 3．leave

学校では、leave を『去る』と習いますね。実は、leave もさまざまな文型で使うことができます。その基本的イメージは、**『対象から離れていく』**です。『離れる』ということは、『去る』『出発する』『やめる』『卒業する』『放置する』などに派生し、離れていけば何かを残していくこともあるので、主語に意思がある場合は、『残す』『任せる』『預ける』に、意思がない場合は、『残して死ぬ』『置き忘れる』へと繋がっていきます。更に、SVOC の文型（第５文型）で用いられると、『O が C である状況から離れていく→ O を C のままにしておく』（放置）になります。

では、leave を使った代表的な表現を見ていきましょう。

a. What time shall we <u>leave</u>?
（何時に出発しましょうか？）

b. I must <u>be leaving</u> now.
   （そろそろお暇しなければ）

c. Mr. Yoshida <u>left</u> his stressful job for his health.
   （吉田先生は、健康のためストレスの多い仕事を辞めた）

d. The color <u>left</u> Chiharu's face when she saw her ex-boss.
   （昔の上司を見かけたとき、千春は顔色を失った）

e. Let's <u>leave</u> everything to chance.
   （すべてを運に任せよう）

f. I'll <u>leave</u> you to think it over.
   （そのことは、君によく考えてもらおう）

g. My husband <u>left</u> me nothing.
   （夫は私に何も残してくれなかった）

h. Don't <u>leave</u> the water running.
   （水を出しっぱなしにしないように）

等、さまざまな意味や文型で使われますが、その基本は前述のように、『〜から離れていく』です。


## 4．go

　中学校では、go は『行く』、come は『来る』と習いますね。無論、それは間違っていませんが、それだけでは、go と come が含まれた多種多様な表現を理解できません。go と come は移動を表す基本中の基本語なので、とても豊かな広がりを持っています。go の根底にあるイメージは、『**（話し手の視点から）離れていく**』ですが、そこから、『別の場所へ移動する』『状況が進行する』『通用する』『動く』『別の状態へ移動する→変化する』といったイメージへと広がっていきます。次の例文を見てみましょう。

a. These pieces of furniture <u>go</u> in my study.
   （この家具は私の書斎に入れてください）

b. His bittersweet experience in Rio <u>goes</u> like this.
   （彼のリオでの切ない経験は、次のようなものです）

c. Don't think anything <u>goes</u> here, Shinko.
   （進子、ここでは何でも通用すると思うなよ）

d. Her husband cannot get a PC <u>going</u>.
   （彼女の夫は、PC を動かすことができない）

e. Jun's wife <u>went</u> mad with jealousy when she saw him walking with a foreign woman.
　（純の奥さんは、夫が外国人の女性と歩いているのを見たとき、嫉妬で激怒した）

　go のイメージの広がりがわかってもらえたでしょうか？『行く』がこんなに使えるなんて知らなかったと思っているかもしれませんね。英語圏のマクドナルドでは、"Three cheeseburgers and two strawberry shakes <u>to go</u>, please."（チーズバーガー3個とストロベリーシェイク2個、持ち帰りでお願いします）と注文してみてください。

　最後に、こんな英文はどうですか？

f. Hurry up!  You have only ten minutes <u>to go</u> before you <u>go</u> back to work.
　（急げ！就業時間まであと10分しかないぞ）


## 5．come

　come も移動を表す基本中の基本語なので、豊かな意味の広がりを持っています。でも、go を知れば、come も簡単です。移動の方向が問題になるときは、go の反対になるだけです。

　come の根底にあるイメージは、もちろん、『来る』です。そこから、『到来する』『状況が進行する』『別の状態へ移動する→変化する』といったイメージへ広がっていくのは、go の場合と同様です。例文で確認しましょう。

a. Your stop, Kyoto, <u>comes</u> after Nagoya.
　（あなたたちが降りる京都は、名古屋の次だよ）

b. Japan and South Korea <u>came</u> to the agreement two years ago.
　（2年前に日本と韓国は合意に達した）

c. The suspenseful film <u>is coming</u> soon.
　（例のサスペンス映画が、もうすぐ上映されるよ）

d. Your daughter <u>has been coming</u> on well here.
　（お嬢様はここでよくやってますよ）

e. Don't worry.  Everything will <u>come</u> out fine.
　（大丈夫。何もかも上手くいくから）

→ もう一歩前へ

　come のより正確な使い方を知るために、次の2点を紹介したいと思います。
　1点目は、『go ＝行く』『come ＝来る』という公式に振り回されないことです。なぜなら、"I'm coming now." や、"He will <u>come</u> to the airport to pick you up." では、「今、<u>行くよ</u>」「彼が空港に迎えに<u>行くから</u>」という日本語のほうが適切だからです。これは、go と come の視点の違いによるものです。つまり、話し手が視点をどこに置いているのかによって、go と come の選択が決まります。例文で説明しましょう。

f. I'm going to your party this weekend.
　　（今週末、君のパーティーに行くよ）

g. I'm coming to your party this weekend.
　　（今週末、君のパーティーに行くよ）

fでは go、gでは come が使われていますね。でも、どちらも日本語では、『行く』に相当します。では、なぜ両者にgoとcomeの違いが生じたのでしょうか？その理由は、fでは、話し手は自分がいる場所に視点を置き、そこから離れた場所である相手のパーティー会場へ行くと言っているからです。つまり、自分の視点から離れていく感覚です。一方、gでは、話し手は相手のいる場所に視点を置き、そこへ自分が『来る』と言っているのです。つまり、焦点に近づいて来る感覚です。相手がいる場所を中心に考えているため、相手から見れば自分が『やって来る』ので、come を使っているのです。無論、go も間違いではありませんが、come のほうが、相手への心遣いや配慮を感じさせる表現です。では、

h. How is your work going?
　　（仕事、進んでいる？）

i. How is your work coming?
　　（仕事、進んでいる？）

はどうですか？やはり、視点の違いによって go と come が使い分けられています。hでは、話し手は仕事の開始時に視点を置いて、そこから仕事はどう進んでいったのかを尋ねているのに対して、iでは、話し手は仕事の終了時に視点を置いて、そこまで仕事はどう進んできたのかを聞いています。

　このように、『go ＝行く』『come ＝来る』と丸暗記するのではなく、自分がどこに視点を置いているのかを考えながら、go と come を使い分けてください。

　2点目は、既に指摘した点です。移動を表す come も、go と同様、『別の状態へ移動する』という意味から、状態変化を表すことができますが、その際、go と come との間には、正反対の方向性が含まれています。話し手の視点から離れていく go には、go bad（腐る）、go wrong（具合が悪くなる、故障する）、go mad（怒る）、go out of one's mind（正気を失う）等、否定的イメージが伴うのに対して、話し手の領域まで来てくれる come は、come right（正常になる）、come fine（よくなる、元気になる）、come true（実現する）、come to one's senses（正気になる）、come to life（生き返る）等、肯定的表現で用いられます。

j. Her husband must have gone out of his mind to behave like that.
　　（あんな行動を取るなんて、彼女の夫は狂っていたに違いない）

k. Hey, come on! Your dream will certainly come true.
　　（おい、バカなこと言うなよ。君の夢はきっと実現するよ）

　もう大丈夫ですね。ここでの "Hey, come on!" は、『おい、（俺のいる）正気の世界に戻れ！』、つまり、"Hey, don't be silly!"（おい、バカなこと言うなよ）といった感覚です。

## Exercises

1．次の基本動詞のイメージを浮かべなら、英文を和訳せよ。

### (1) give

a.  You have to give yourself fifteen minutes to reach the station.

　　ヒント： ・『自分自身に **15** 分与えなければならない』とは？

b.  Come on!  Give me a break, will you?

　　ヒント： ・動詞 **break** の本質は『断絶する』こと。『壊す』と訳されることが多いが、『壊す』も今まで続いてきた状態を『断ち切る』こと。『休憩』と訳す名詞の **break** も同じ。働いてきた状況を『断絶』すること。

### (2) keep

a.  That elder brother's wife who is greedy about money tried to keep all estates to herself.

　　ヒント： ・**keep A to oneself**　　『**A** を自分自身に **keep** しておく』とは？
　　　　　　・**be greedy about** ～　　～に意地汚い

b.  My wife couldn't keep from crying at the sight of her son.

　　ヒント： ・『～することから（自分を離れた状態に）保つ』とは？

### (3) leave

a.  Hideyuki left his wife for a younger woman.

　　ヒント： ・**leave A for B**　　『**B** を求めて **A** を放置する』とは？

b.  Mr. Myojo left the troublesome procedure to Masafumi.

　　ヒント： ・**leave A to B**　　『**A** を **B** へ放置する』とは？

### (4) go

a.  There is something going wrong between that couple.

　　ヒント： ・**go wrong**　　『**go / come** 形容詞』は状態変化を表すことが多い。

b.  His wife's plans went completely unnoticed.

　　ヒント： ・**go unnoticed**　　ここでの **go** は『進行』を表す。

### (5) come

a.  Nothing came to mind at the meeting.

　　ヒント： ・**come to mind**　　ここでの **mind** は『思考』に近い。

b.  Your son has been coming on well here.

　　ヒント： ・**come well**　　ここでの **come** は『進行』を表す。

2．すべての語は、その根底にあるイメージから意味を生み出している。次の（　）内に、
日本語の意味に合うように適語を入れよ。尚、必要に応じて、適切な形に変えよ。

(1) The profit (　　　) directly to you.
（利益は直接あなたに帰属します）
　　　　ヒント：・『利益が移動する』と考える。

(2) My husband always (　　　) the door violent knocks.
（夫はいつも乱暴にドアをノックする）
　　　　ヒント：・夫は扉にノックをどうしているのか？

(3) (　　　) this bottle out of the reach of your baby.
（この瓶を赤ちゃんの手の届かない所に置いておくように）
　　　　ヒント：・『（意思を持って）out of the reach の状態に保つ』と考える。

(4) You should (　　　) everything as it is.
（すべてをそのままにしておくほうがいいよ）
　　　　ヒント：・as it is（そのまま）に『放置する』と考える。

(5) Will you (　　　) me informed of my husband's life in Tokyo?
（夫の東京での生活について、絶えず知らせてくれませんか？）
　　　　ヒント：・『me=informed の状態を保つ』と考える。


3．基本動詞 give, keep, leave, go, come を用いて、次の日本語を英訳せよ。

(1) この食材もたないよ。明日の朝には（by tomorrow morning）腐ってるよ。
　　　　ヒント：・食材　　　food stuff
　　　　　　　　・もたない→『保てない』と考える。
　　　　　　　　・腐る→悪い状態変化

(2) 事態は1週間で正常になるだろう。
　　　　ヒント：・正常になる→いい状態変化

(3) 兄嫁のでたらめな話は、もう通用しない。
　　　　ヒント：・でたらめな話　a far-fetched story
　　　　　　　　・通用しない→『進行しない』と考える。

(4) 実家の援助がなければ、泰夫は一人じゃ食べていけない。
　　　　ヒント：・実家　　　one's parents home
　　　　　　　　・〜がなければ　　without 〜
　　　　　　　　・一人で食べていく→『自分自身を養う』と考える。

(5) その事故によって、我々は多くの教訓を得た（accident を主語にして）。
　　　　ヒント：・事故を主語にした場合、我々に教訓をどうしたのか？
　　　　　　　　・教訓　　a lesson

# Unit 5

助動詞は面倒？ でも、感情表現の宝庫！（1）

　日本語と同様、英語でも助動詞は種類が多く、意味も多種多様です。でも、一見すると複雑で多彩に思える助動詞にも、しっかりとした基本概念が備わっています。それを把握すれば、助動詞が生み出す豊かな感情の世界にも触れることができます。言い換えれば、助動詞を理解して初めて、人間という感情的生き物が紡ぎ出す表現を使いこなすことができるのです。

　では、個々の助動詞を紹介する前に、助動詞とは何かを役割的な視点から整理してみましょう。それは、

## ① 文に実質的意味を与える、
## ② 文に文法的機能を与える、

の2点に大別できます。②の文法的機能とは、一般動詞の否定文・疑問文で使われる do / does / did や、完了形や受動態で使われる have / be がその例です。

a. Yoshiko <u>doesn't</u> depend on the income of her husband.
　（佳子は夫の収入には頼っていない）

b. <u>Does</u> Yasuyuki still love his ex-wife?
　（今でも、泰之は別れた妻を愛しているのか？）

c. Shinko <u>was</u> hated by everyone here.
　（進子はここの皆に嫌われていた）

d. Keishiro <u>has</u> been truthful to us all.
　（景史郎は私たち皆に誠実だったわ）

　もちろん、このテキストで紹介したいのが、文に実質的意味を与えてくれる①の助動詞です。学校では、「助動詞は動詞の前に置かれます」「助動詞の後では、動詞は原形になります」としか説明されません。でもこれだと、助動詞とは何なのか、どんな役割を果たし、何のために存在しているのかがまったくわかりません。そこで、①の働きをする助動詞の存在意義を、

## （i）意思、怒り、義務感、主張、後悔などの感情的色彩を文に与える、
## （ii）話し手が、伝えようとしている事柄の真実性をどの程度確信しているかを表す、

と定義したいと思います。因みに、（ii）の助動詞は『法助動詞』と呼ばれています。『法』とは心的態度（Mood）のことで、伝えようとしている事柄の真実性に対する話し手の確信の度合いを示します。

　それでは、これから重要な、つまり、使用頻度の高い助動詞をいくつか紹介します。

日常のコミュニケーションにおいて、それらが如何に大切であるかを学んでいきましょう。

## １．will と would
### ・will

　will の本質は、『（発話時の）意思』（〜するつもり）です。学校では、「will は未来形です」と教わりますが、will は現在形です。「会いに行くよ」（I'll come to see you.）と言うとき、会いに行く時点は未来であっても、語っているのは『今（発話時）の意思』です。そもそも、明日目が覚めたら、自分がどんな意思を持っているかなんて、誰にもわかりません。人が『〜するつもりだ』と言うときは、現在の意思を伝えているのです。

　a. I will give you everything you need.
　　（あなたが必要な物をすべてあげるわ）

そして、この『（発話時の）意思』から、さまざまなイメージへと広がっていきます。以下、その繋がりを感じ取ってください。

①『意思』から『予測』へ
　１人称（I, we）の意思は、当然、わかりますよね。自分のことですから。２人称（you）はどうですか？もちろん、『意思』は目に見えませんが、会話の相手方（you）なら、聞くことができます。では、その場に存在しない３人称（he, she, they）はどうでしょうか？当然、その場にいないのだから、意思を尋ねることは不可能です（電話やメールなど、昔はあり得ません）。そこから、will に『予測』（〜だろう）の意味が生まれてきました。もちろんこの場合も、元来は、３人称の現在の意思を予測していたのです。

　b. Shizuka will come to see me.
　　（静は僕に会いに来る＜意思が現在ある＞だろう）

②『意思』から『習慣・習性』へ
　『意思』は、『習慣・習性』（〜するものだ）にも繋がっていきます。習慣や習性を生み出す源は、それを続けようとする意思だからです。この will は、物にも転用され、物の場合は『傾向』を表します。

　c. Chiharu will shed crocodile tears in Masafumi's company.
　　（正史と一緒にいると、千春はどうも嘘泣きをしてしまう）

　d. A tall tree will get more wind.
　　（出る杭は打たれるものだ）

③『意思』から『拒絶』へ
　これも簡単なイメージですね。『意思』を否定すれば、『拒絶』（〜しようとしない）になるだけです。この will も擬人化して、物にも使われます。

　e. Yoshiko will not go out with her husband.
　　（佳子は夫と一緒に出かけようとはしない）

f. This door <u>won't</u> open.
（このドア、どうしても開かないんだ）

### ④『意思』から『依頼』へ

これも楽勝ですね。相手に何かを依頼する前提として、相手の『意思』を伺っているのです。

g. <u>Will</u> you open the window?
（窓を開けてくれる意思はありますか？→ 窓を開けてくれませんか？）

→ もう一歩前へ 🔍

will と be going to は、どちらも日本語では、『～するつもり』と訳されますが、両者の本質的な違いは、will は『発話時の意思』、つまり、文を発するときに決めた意思です。

h. I <u>will</u> forgive her now that she has made repeated apologies.
（繰り返し謝罪したのだから、もう彼女を許そう）

一方、be going to は、『**to 以下の方向へ向かっている**』という構造からわかるように、発話時には既に予定していたことを表しています。予定しているからこそ、to ～の方向に進行中（be going to）なのです。

i. Shizuka <u>is going to</u> visit Tokyo next year to see her ex-boyfriend.
（静は元彼に会うために、来年東京に行く予定だ）

### ・ **would**

would は形式的には will の過去形ですが、その働きはかなりの曲者です。なぜなら、would は過去と現在の両局面で用いられるからです。まず、過去の局面で使われる would ですが、これには大別して 3 つの用法があります。

### ①『過去の意思』

述語動詞の位置で使われるときは、多くの場合、『**過去の拒絶意思**』（どうしても～しようとしなかった）として用いられます。

j. Yasuyuki <u>wouldn't</u> give his wife the divorce paper.
（泰之は、妻とどうしても離婚しようとしなかった）

### ②『過去の習慣・習性』

will が『現在の習慣・習性』を表すように、would は『過去の習慣・習性』（よく～したものだ）を表します。

k. Atsushi <u>would</u> burn the midnight oil when he was a high school student.
（敦は高校生のとき、夜遅くまで勉強したものだ）

### ③『時制の一致』

日本語と違って英語では、動詞が登場する度に、それがいつのことなのかを正確に表現しなければならないルールがあります。これを『時制の一致』と言います。このルールによって、過去の時点における『意思』や『予測』に言及するときに、would が使われます。

l. Akio <u>told</u> his wife that he <u>would</u> live with the woman for the rest of his life.
（明夫は妻に、残りの人生はあの人と生きていくつもりだと言った）

m. Masafumi <u>thought</u> that Mr. Myojo <u>would not</u> show up at the meeting.
（正史は、明城先生が会議に来ないだろうと思っていた）

次に、would が現在の局面で使われる場合ですが、形の上では過去形なので、『距離感』を表します。

### ①『事実からの距離感』（仮定法過去）

英語では、現実からのズレを過去形で表現します。つまり、現在から時間的に離れていることを表す過去形のイメージを利用して、現在の事実とは異なる仮定や願望を表します。その際、would が用いられることが多くあります。

n. If I were you, I <u>wouldn't</u> miss this opportunity.
（俺がお前なら、この機会を逃さないよ）

o. I wish I <u>could</u> visit Onomichi again with my wife.
（もう一度、妻と尾道を訪れることができれば）

### ②『心理的な距離感』

現在形が持つ至近距離では話していない、つまり、相手との間に心理的な距離を置いているということを、過去形を用いて表現します。現在形よりも過去形のほうが、『丁寧な表現』『婉曲的な表現』と言われるのはそのためです。

p. <u>Would</u> you speak more slowly?
（もう少しゆっくり話してくれませんか？）

q. I'<u>d</u> like to have a talk with your boss.
（君の上司と話し合いたいのですが）

### 2. can と could
・can

can の本質は、『能力』（やろうと思えば～できる）です。発話時に、実際にやっているかどうかは関係ありません。例えば、

a.　I <u>can</u> play the piano.
　　（ピアノ弾けるよ）

という文は、ピアノを弾いている最中に発するとは限りません。寧ろ、友人との食事中や、あるいは、何気ない雑談中に言う場合が多いのではないでしょうか。つまり、can は、『（やろうと思えば）～できる能力がある』と言っているのであって、実際にその行為を遂行する必要はありません。

　さて、この『（やろうと思えばできる）能力』を表す can も、さまざまなイメージへと広がっていきます。

①『能力』から『許可』へ
　『やろうと思えばできる』ということは、『やってもいいよ』という『許可』へ繋がっていきます。

b.　You <u>can</u> park your car in that space.
　　（あのスペースに車を停めていいよ）

②『能力』から『可能性』へ
　これもごく自然な流れです。『～できる能力を秘めている』ということは、『起こり得る可能性を秘めている』ということです。

c.　This medicine <u>can</u> cause some serious side effects.
　　（この薬は、深刻な副作用を引き起こす可能性がある）

③『能力』から『依頼』『申し出』へ
　『～できる』ということは、疑問文で使われると、『（できるなら）やってくれますか？』という依頼や、『（できるので）やりましょうか？』という申し出になります。

d.　<u>Can</u> you drive me home, Akio?
　　（明夫、家まで送ってくれる？）

e.　<u>Can</u> I talk to him instead of you?
　　（君の代わりに、僕が彼と話そうか？）

④『能力』から『強い疑問』へ
　少しわかりにくいかもしれませんね。これは、『能力』（～できる能力を秘めている）→『可能性』（起こり得る可能性を秘めている）→『強い疑問』（果たして、起こり得るのか？）というイメージの広がりです。

f.　<u>Can</u> the rumor about Hiroko be true?
　　（裕子に関する噂は本当なの？）

⑤『能力』から『否定的推断』へ
　これも④と同じ流れです。『能力』（～できる能力を秘めている）→『起こり得る可能性を秘めている』→『否定的推断』（起きる可能性はない）となります。

g. Shinko <u>can't</u> do anything thoughtful like that!
（進子にそんな配慮ができるはずないわ）

　どうですか？　どれも自然な広がりに思えませんか？

## ・**could**

　この could も、would と同様、なかなかの曲者です。can の単純な過去時制と片付けてしまうには、問題があるからです。
　could も過去と現在の両局面で用いられます。過去の局面で使われる could ですが、大別して３つの用法があります。

### ①『過去の一般的能力』
　潜在的能力を意味する can の過去形なので、持続的・一般的な能力（general ability）について用いられる傾向があります。その場限りの単発的な行為（on one occasion）に使って、『〜できた』と言う場合は、be able to / succeed in / manage to などが使われます。

h. My brother <u>could</u> buy anything he wanted before he got married. →○
（結婚前、兄は欲しい物は何でも買えた）

i. I <u>could</u> locate the key in the drawer. →×
（引出しの中に鍵はあった）

### ②『過去の知覚・理解・認識・思考能力』
　see, hear, feel, taste, smell などの知覚動詞や、understand, remember, recognize, guess などの理解・認識・思考を表す動詞では、『〜できた』という意味で使われます。

j. Kaoru <u>could</u> see a total stranger coming towards her.
（かおるには、まったく見知らぬ人が近寄って来るのが見えた）

k. Keishiro <u>could</u> understand the way she was.
（彼女がどんな人なのか、景史郎には理解できた）

### ③『時制の一致』
　既に説明したように、英語では動詞が登場する度に、それがいつのことなのかを正確に表現しなければならないルールがあります（時制の一致）。このルールによって、過去の時点における can に言及するときに、could が使われます。

l. Yoshiko <u>thought</u> that she <u>could</u> make a fresh start in life.
（もう一度人生をやり直すことができると、佳子は思った）

　次に、could が現在の局面で使われる場合ですが、形の上では過去形なので、やはり、『**距離感**』を表します。

①『事実からの距離感』（仮定法過去）

would と同様、現在の事実とは異なる仮定や願望を表す仮定法で、could が用いられることがあります。

  m.  If he were in your shoes, he <u>could</u> understand what I said.
     （あいつがお前の立場なら、俺の言ったことがわかるだろう）

  n.  I wish I <u>could</u> take this opportunity to get a divorce from her.
     （この機会に彼女と離婚できたらなぁ）

②『心理的な距離感』

これも would と同様です。相手との間に心理的な距離を置いているということを、過去形を用いて表現します。

  o.  <u>Could</u> you speak more slowly?
     （もう少しゆっくり話してくれませんか？）

  p.  Let me have a talk with your parents if I <u>could</u>.
     （可能なら、君のご両親と話し合いたいのですが）

→ もう一歩前へ 🔍

『〜できなかった』という否定では、could は一般的能力にも、その場限りの単発的行為にも使えます。

  q.  Chiharu <u>could not</u> find the right words when she heard the news of the death of her ex-boss.
     （元上司の訃報を耳にしたとき、千春には適切な言葉が見つからなかった）

## ３．may と might

### ・may

『〜してもよい』と教わる may の本質は『許可』です。

  a.  <u>May</u> I speak to you for a moment?
     （少しお話ししてもいいですか？）

といった類の文を見た記憶はあると思います。この『許可』からも、いくつかのイメージへと広がっていきます。

①『許可』から『可能性』へ

「may には、『〜かもしれない』『〜のすることもある』という意味もあります」と教わったかもしれませんが、その語の本質からまったく無関連に意味が湧き上がってくるなんてことは、言語ではありません。『許可』から『可能性』へは、『〜してもよい』→『〜することも可能性として考慮してよい』→『〜かもしれない、〜することもある』という連続性があるのです。

b. Wakako <u>may</u> come back here next year.
（稚子は来年復帰するかもしれない）

c. It <u>may</u> snow in October in Sapporo.
（札幌では **10** 月に雪が降ることもある）

②『許可』から『祈願』へ

　元来、may は『神の赦し』を意味していました。『許可』の根源です。したがって、現在でも、may は祈願文で用いられます。

d. <u>May</u> my daughter be happy!
（娘が幸せになりますように！）

③『許可』から『譲歩』へ

　簡単ですね。『そこまでなら譲ってもよい』と言っているだけです。

e. Whatever Junko <u>may</u> say, Mr. Nibe will not change his mind.
（純子が何を言っても、二部先生は考えを変えないよ）

→ もう一歩前へ 🔍

　"May I 〜 ?" は、相手の許可を求めているので、相手を上に見た丁寧な表現になりますが、"You may 〜 " は、相手へ許可を与える響きになるので、所謂、上から目線のニュアンスになるので注意してください。例えば、相手に、

f. <u>May</u> I come to your room?
（お部屋に行ってもいいですか？）

と聞かれたら、OK の場合は、Yes, you may. よりも、Sure や Why not? のほうが、ダメな場合は、No, you may not. よりも、I'm sorry, but you can't.（申し訳ないけど、無理なんだ）のほうが、柔らかく感じられます（もちろん、どの言語においても、どういった表現を選ぶかは、人間関係によって決まりますが）。

・**might**

　might は、形の上では may の過去形ですが、

a. Never did that woman dream that her husband <u>might</u> leave her.
（あの女は、夫が自分の元を去るかもしれないなんて、夢にも思っていなかった）

のように、時制の一致の法則で may が might になる場合を除けば、**ほとんどが現在の局面で使われます。その場合、『遠慮』『婉曲』『丁寧』などの心理的距離感が、現在形の** may よりも強くなります。

b. I <u>might</u> be wrong, but that woman from Shanghai loves you.
（間違っているかもしれないけど、上海出身のあの女性は君のことを好きだよ）

c. Junko <u>might</u> be smacking her lips now at the sight of those desserts.
　（あのデザートを前にして、純子は今頃舌鼓を打っているかもしれないな）

d. <u>Might</u> I ask who's calling, please?
　（どちら様ですか？）

## ４．must

　『〜しなければならない』と訳す must の基本イメージは、『**精神的圧力**』です。『これを選ぶしかない』という義務感とも言えます。ここから、次のようなイメージへと広がっていきます。

①『精神的圧力』から『**推断**』へ

　『これを選ぶしかない』という圧力は、『きっとこれだ』『これに違いない』という断定へと繋がっていきます。

a. Chiharu <u>must</u> be angry with Shinko.
　（千春は進子に怒っているに違いない）

②『精神的圧力』から『**禁止**』へ

　初めて must not を学んだとき、「どうして、『〜しなければならない』の否定が、『〜してはいけない』になるんだ？」と疑問に感じた方も多いと思います。確かに、『〜しなければならない』の否定は、『〜しなくてもいい』です（don't have to）。では、must not は、なぜ『〜してはいけない』になるのでしょうか？これは、not の作用域とも絡む問題ですが、例えば、

b. You <u>must not</u> go there again.
　（二度とそこに行ってはいけませんよ）

という文では、not go there again 全体に対して圧力が加わっていると考えてください。つまり、not go there again の義務があると言っているのです。『〜しない圧力』→『〜してはいけない』となります。

③『精神的圧力』から『**勧誘**』

　日本語でも、「お前、来なきゃだめだぞ！」と言えば、相手に精神的プレッシャーを与えながらも、実は、「絶対、来いよ！」という『強い勧誘』ですよね。英語でも、その心理は同じです。

c. You <u>must</u> see me when you are around here.
　（近くに来たら、絶対会おうね）

→ もう一歩前へ

　同じく『〜しなければならない』と訳す have to は、『to V することを抱えている』という形からもわかるように、『必要性』を表し、客観的なニュアンスがあります。したがって、『毎月家賃を 15 万円払わなければならない』と言う場合は、"I <u>have to</u> pay the rent of 150,000 yen every month." のほうが適格です。毎月の家賃の支払いは、『主観的義務感』というよりも、『客観的必要性』だからです。

## Exercises

1. 次の日本語の意味に合うように、（　）内に最も適切な助動詞（否定を含む）を入れよ。

(1) (　) you have some more coffee?
　（コーヒーをいかがですか？）
　　ヒント： ・勧誘の形で『相手の意思』を問うている。

(2) Hirofumi (　) be honest, but he is not smart.
　（博史は正直かもしれないが、賢くない）
　　ヒント： ・『〜かもしれない』とは、可能性を表している。

(3) My wife and I (　) often visit Onomichi when we were young.
　（妻と私は、若い頃よく尾道を訪ねたものだ）
　　ヒント： ・『過去を懐かしむ』助動詞は？

(4) The guy went into the house ten minutes ago. He has not come out since.
　He (　) be in the house.
　（10分前に家に入ってから、あの人まだ出て来てないわ。きっと家の中よ）
　　ヒント： ・『これしかない』という判断を表す助動詞は？

(5) The exit doors (　) be locked during performances.
　（演奏中は、出口の扉は施錠禁止です）
　　ヒント： ・『施錠しない義務がある』という意味。

2. 次の下線部の助動詞に注意して、英文を和訳せよ。

(1) Yasuo <u>will</u> pass the buck. I mean, he never takes responsibility.
　　ヒント： ・**he never takes responsibility** から、**will** の意味を推測するように。

(2) My mother <u>will</u> sit looking out of the window for hours in the afternoon.
　　ヒント： ・**sit 〜 for hours looking out of the window in the afternoon** から、**will** の意味を推測するように。

(3) You <u>can</u> help yourselves to the cookies, but you'<u>ll</u> be quiet.
　　ヒント： ・**help oneself to A**　　A を自由に取って食べる / 飲む
　　　　　　・ここでの **will** は『予測』を表している。では、なぜ他人の行動にそのような判断を下せるのか？それは命令できる立場にあるから。

(4) They <u>may well</u> be surprised to hear you've passed the medical school's exam.
　　ヒント： ・**may / might well 〜**　　『十分に〜する可能性がある』とは？

(5) I <u>might as well</u> eat out tonight.
　　ヒント：　・**may / might as well ～**　　**(4)** の **may / might well** と混同しないように。この表現は意思を表現したもの（消極的な意思だが）。

## ３．助動詞を用いて、次の日本語を英訳せよ。

(1) まさか、冗談言うなよ！
　　ヒント：　・**kid** を使って表現できる。

(2) 彼が昔、裁判官だったなんて、本当だろうか？
　　ヒント：　・『そんなことがあり得るのか？』と考える。

(3) 妻の言っていることに間違いがあるはずはない。
　　ヒント：　・『間違いなんてあり得ない』と考える。

(4) ドーバー海峡（the Straits of Dover）は荒れることもある。
　　ヒント：　・『荒れる可能性も秘めている』と考える。
　　　　　　　・荒れる　　**rough**

(5) この錠剤（these pills）を一度に３錠以上飲んではいけません。
　　ヒント：　・『飲んではいけない義務がある』と考える。
　　　　　　　・『薬を飲む』は、『体内に取る』と考える。『取る』という意味の基本動詞は？
　　　　　　　・英語で『３以上』は、**more than two** と表現する。**more than three** ではない。

(6) 北海道にいる間に、かおるに会いたかった。
　　ヒント：　・**would like to ～**で『～したい』という意味。では、『～したかったのに（実際はできなかった）』という形は？過去の反事実を表す仮定法過去完了にする。

(7) あの子をきつく叱るなよ。男の子とはそんなものだ。
　　ヒント：　・**A** をきつく叱る　　**tell off A / tell A off**
　　　　　　　・『～とはそんなものだ』とは、習性・傾向と考えること。

(8) あの人が私を裏切るはずがないわ！
　　ヒント　　・『～することはあり得ない』と考える。
　　　　　　　・恋人や配偶者を裏切るなら、**disloyal**（形容詞）が適切。

(9) お幸せに！
　　ヒント　　・祈願とは、神の赦しを乞うもの。

(10) どんなに頑張っても、あの人はあなたのものにならないわ！
　　ヒント　　・どんなに頑張っても　　**however hard you (may) try**
　　　　　　　・『あなたのものにはなり得ない』と考える。

　Unit 5 に引き続き、助動詞を勉強しましょう。前回は、will (would), can (could), may (might), must といった大物を取り上げました。今回は、その大物の残党 should を片付けてから、shall, used to, ought, had better, need, dare に簡単に触れ、最後は、これも重要な『助動詞＋完了形（have p.p）.』を学びましょう。

## 1．should

　should は、形の上では shall の過去形ですが、shall とは別個の独立した助動詞と考えるべきです。使用頻度も、shall の比でないほど高いです。その本質的な意味は『義務』ですが、日本語では『～すべき』と訳すので、とても強い響きが感じられますが、形態的には shall の過去形なので、一歩下がった表現であり、寧ろ、『～したらどう？』『～するほうがいいんじゃない？』といった『提案』『助言』に近いと考えてください。また、『義務』があるということは、『～して当然だ』『～するはずだ』という意味にも繋がってきます。

 a. Oh, you <u>should</u> go to the restroom.
 　（あ、トイレに行っとくほうがいいよ）

 b. Chiharu <u>should</u> hate that ex-boss.
 　（千春はあの元上司が大嫌いなはずだ）

→ もう一歩前へ 🔍

　この should について、重要な用法が2つあります。1つは、『感情の should』（emotional should）と言われているものです。なぜ、should がこうした使われ方をするのかの詳しい説明は省きますが、

 c. It is natural that Yasuyuki <u>should</u> be so persistent.
 　（泰之がそんなに粘着質なのは当然だ）

といった文に代表されるような、当然・意外・驚き・不思議などの感情を表す形容詞が用いられたとき、その that 節中で用いられる should です。
　もう1つは、要求・主張・命令・提案・助言などを述べる that 節中で使われる should です。

 d. My brother's wife insisted that they <u>should</u> get all of the estates.
 　（兄嫁は、遺産のすべてを自分たちが受け取るべきだと言い張った）

　これは、『当然～すべきでしょ』という意味のお馴染みの should なので、わかりやすいと思います。
　両者の違いは、後者の場合、that 節中の内容は事実を述べているのではなく、話し手

がそうあるべきだと思っていること（仮想世界）を述べているので、特にアメリカ英語では、He insisted that they <u>get</u> 〜と、動詞の原形だけで用いられます（仮定法現在）。

一方、前者の『感情の should』では、that 節中の内容は現実世界のことを述べているので、仮定法になることはありません。c の例文でも、should を省略できますが、It is surprising that Yasuyuki <u>is</u> so stingy. と直説法で表します。

## ２．shall

イギリス英語では、アメリカ英語よりも shall を使う局面が多いと教わりますが、イギリスでも shall の使用頻度は低くなりつつあります。それは、会話では、I'll, we'll, you'll などと短縮形を使うため、改めてこの 'll は何かと考えたとき、will が shall を制するようになったことと、政治的・経済的・軍事的最強国の言語が世界言語になるという歴史的必然性によって、アメリカ英語がイギリス英語を浸食しつつあるという現実に関係があると思います。

さて、shall は元来、『神への義務』を表していました。聖書の "Thou <u>shalt</u> not steal. (汝、盗むなかれ) の shalt は、shall の古体です。また、過去形の should が、『〜すべき』と義務を表すのもそのためです。この『神への義務』は、次のイメージへと繋がっていきます。

①『義務』から『話し手の強い意思』へ

神への義務は、強い意思を要求します。

a. You <u>shall</u> be sorry for that in the near future.
　（近い将来、必ずお前にそのことを後悔させてやる）
　　　　　　　　　　↓
I will make you sorry 〜よりも強い意思を感じさせます。

②『義務』から『運命』へ

神への義務は、必ずそうなるという予言めいたものを生み出します。

b. We <u>shall</u> meet again.
　（我々は必ず再会するだろう）

③『義務』から『法的義務』へ

神への義務が、契約社会における法的義務へと転化し、法律・規則・契約書等の文言で使われています。

c. Article 7: The president <u>shall</u> preside at all meetings.
　（第７条：　議長は全会議を主宰するものとする）

④『義務』から『相手の意向伺い』へ

実は、これが shall の中で最も多く使われている表現です。何度も見かけたことがあると思います。Shall I 〜? / Shall we 〜? です。では、なぜこれが『義務』と関係があるのでしょうか？　これらの意味を考えてください。Shall I 〜は、『(私が) 〜しましょう

か？』、Shall we 〜は、『（一緒に）〜しましょうか？』ですね。つまり、相手の返答を受けて、それを聞き手の義務へと転化させているのです。

d. <u>Shall</u> I come and meet you at the station?
（駅までお迎えに参りましょうか？）

e. <u>Shall</u> we go for a drive tonight?
（今夜ドライブへ行こうか？）

**・used to**

used to も、would と同様、『以前はよく、または恒常的に起きていたが、今はもう起きない事柄』を述べるときに使われる助動詞です。両者の違いは、意思を本質とする would には、『過去を懐かしむ気持ち』というセンチメンタルな色彩が含まれているのに対して、used to では、『現在は A だが、以前は B だった』という『客観的な対比』のニュアンスが強くなります。

a. Tomoko <u>used to</u> be green and egocentric.
（智子は以前、未熟で我儘だった）

**・ought to**

『〜すべき』と訳されるこの助動詞は、should とほぼ同じ意味ですが、should よりも少しフォーマルで、強い響きがあります。否定では、ought <u>not</u> to と、to の前に not を置きます。

a. You <u>ought to</u> arrive there by nine o'clock in the morning.
（午前9時までにそこに着くべきだよ）

**・had better**

学校では、『〜したほうがいい』と教わりますが、これは、『別にしなくてもいいけど、したほうがいいんじゃない？』といった呑気なアドバイスではありません。もっと切迫感のある、言い方によっては、高圧的で脅迫にもなり得る表現です。

a. You <u>had better</u> come up with a new plan.
（新しい計画を出すほうがいいぞ）

尚、had better の否定は、had better <u>not</u> となります。また、口語では、had が脱落して、better だけで使われることが多いです。

b. You (had) <u>better</u> be straight with me, kid.
（おい、小僧、俺には正直に話すほうがいいぞ）

## ・need

need は、文字どおり、『必要性』を表します。注意すべきは、need には一般動詞用法もあり、"I <u>need</u> you."（君が必要だ）といった表現はご存知だと思います。注意すべきは、助動詞の need は、否定文と疑問文で使われるという点です。

a. We <u>need not</u> talk to Shinko any more.
　　（もう進子と話す必要はない）

b. <u>Need</u> I speak English here?
　　（ここでは英語を話す必要があるのですか？）

肯定文では、一般動詞が用いられ、"We <u>need to talk</u>～." "I <u>need to speak</u>～." となります。もちろん、否定文や疑問文でも、"We <u>don't need to talk</u>～." "<u>Do I need to speak</u>～?" と使用可能です。

## ・dare

dare は、『大胆にも～する』という意味ですが、『助動詞用法』『一般動詞用法』『助動詞＋一般動詞の混合用法』があり、それに否定文や疑問文が絡んでくるとかなり複雑です。したがって、ここでは、"How dare you?" という助動詞 dare が最も多く使われる表現だけを紹介しておきます。

a. How <u>dare</u> you (speak that way)?  Who do you think you are?
　　（よくもそんな口の聞き方ができるな！何様だと思ってるんだ？）

つまり、How dare you? で、『よくもそんなことが言えるな？』『よくもそんなことができるな？』という意味になります。怒ったときに、語気を強めて使ってください。

さあ、長かった助動詞の説明も、いよいよ最後です。『助動詞＋完了形（have p.p.）』について学びましょう。

## ・助動詞＋完了形（have p.p.）

『助動詞＋ have p.p.』は、『（あのときは）～だったにちがいない』『（あのときは）～すべきだった』等、話し手が現在から過去を振り返り、その判断を示すのが一般的です。ここではその代表例を紹介します。ただ、助動詞によっては、過去と未来の両局面で使われるものもあるので注意してください。

① **will have p.p.** ～　　　～したことになるだろう（未来）
　　　　　　　　　　　　　既に～したことでしょう（過去）

a. Yoshiko <u>will have been</u> to Tokyo five times if she visits it again.
　　（今度東京へ行けば、佳子は5回訪れたことになる）→未来

b. I'm afraid you <u>will have</u> already <u>heard</u> about the rumor.
　　（既にその噂についてはお聞き及びと思いますが）→過去

② **may have p.p. ～**　　～したかもしれない（過去）
　　　　　　　　　　　　～してしまっているかもしれない（未来）

c.　Atsuko <u>may have got</u> Keishiro wrong.
　　（敦子は景史郎のことを誤解していたかもしれない）→過去

d.　Hirofumi <u>may have got</u> the sack by the time I come back next year.
　　（来年私が戻る頃には、博史はクビになっているかもしれない）→未来

③ **cannot have p.p. ～**　　　～したはずがない（過去）

e.　My husband <u>cannot have gone</u> out with that sort of
　　woman.
　　（夫があんな女と付き合ったはずないわ）

④ **must have p.p. ～**　　～したに違いない（過去）

f.　My brother's wife <u>must have played</u> a nasty trick on me.
　　（兄嫁は卑劣な手段を使ったに違いない）

⑤ **should have p.p. ～ / ought to have p.p. ～**　　　～すべきだった（過去）
　　　　　　　　　　　　　　　　　　　　　　　　　～したはずだ（過去）

g.　I <u>shouldn't have told</u> her anything like that.
　　（彼女にあんなことを言うべきじゃなかった）

⑥ **need not have p.p. ～**　　～する必要はなかったのに（過去）

h.　Chikako <u>needn't have come</u> all the way from Hakodate.
　　（千香子はわざわざ函館から来る必要はなかったのに）

　では、後は <Exercises> で理解を深めましょう。

## Exercises

1．次の日本語の意味に合うように、（　）内に最も適切な助動詞を入れよ。尚、1語とは限らない。

(1) The landscape was really wonderful.  You (　) to have seen it.
（その景色は本当に素晴らしかった。君も見るべきだったよ）
ヒント：　・現在から過去を振り返り、後悔している。

(2) (　) I get your coat for you?
（コートをお取りしましょうか？）
ヒント：　・『相手の意思』を問うている。

(3) My ex-husband (　) be a cold fish, but he isn't now.
（以前、元夫は冷たい人だったが、今ではそうではない）
ヒント：　・『今と対比して、以前は〜だった』という意味の助動詞は？

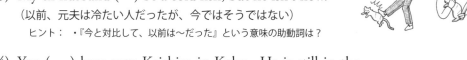

(4) You (　) have seen Keishiro in Kobe.  He is still in the Philippines.
（神戸で景史郎を見かけたはずないよ。まだフィリピンにいるから）
ヒント：　・『〜したことはあり得ない』と考える。

(5) It is quite strange that her husband (　) be so considerate of others.
（彼女の夫が、他人にそんな配慮があるなんて、まったく不思議だ）
ヒント：　・**strange** の意味から、**that** 節中で使われる助動詞は？

2．次の助動詞のイメージを浮かべなら、英文を和訳せよ。

(1) You may have married another man by the time I come back to Brazil.
ヒント：　・**by the time SV〜**（S が〜する頃には）から、**may have married** を判断するように。

(2) It is surprising that a smart man like him should have been had by such a woman.
ヒント：　・**It is surprising** に対して、**should have been had** と完了形になっている点に注意。
　　　　　・**have been had** の **had** は、動詞 **have** の過去分詞。つまり、ここでは完了形の受動態。『持たれていた』ということは、『その支配領域に置かれていた』と考える。

(3) You needn't have made two copies.  One will do.
ヒント：　・**One will do.** から、**needn't have made** の意味を考える。ここでの **do** は自動詞用法。

(4) It was proposed that all members of the staff should start work an hour earlier.
ヒント：　・ここでの **It** は形式主語。なお、**staff** は『個々の社員』ではない。

(5) How dare you sneak a look at my phone!
ヒント：　・夫婦間や恋人間でよくある（？）話かも。

3．助動詞を用いて、次の日本語を英訳せよ。

(1) あいつに、このことをいつか思い知らせてやる！（shall を使って）
　　　ヒント： ・A に〜を思い知らせる　　**bring 〜 home to A**

(2) 夫に昨夜電話すべきだったわ。もう何処にもいないの。
　　　ヒント： ・『〜すべきだった』と過去を振り返り後悔する表現は？

(3) 敦は５時の電車に乗ったので、もう保育園に着いているはずよ。
　　　ヒント： ・『（当然）〜したはずだ』という表現は？

(4) きっと僕の悪い噂は聞き及びでしょうね。
　　　ヒント： ・きっと〜　　**I'm sure (that) 〜**
　　　　　　　・『〜したことだろう』と過去を振り返り推量する表現は？

(5) 今度函館に行ったら、３回訪れたことになる。
　　　ヒント： ・『〜したことになるだろう』と未来を志向して推量する表現は？

(6) 俺たち、前世では戦っていなかったかもしれないな。
　　　ヒント： ・『〜したかもしれない』と過去を志向して可能性を述べる表現は？
　　　　　　　・前世　　**the past life**

(7) 夫があんな行動を取ったなんで、残念だ。
　　　ヒント： ・〜は残念だ　　**It is regrettable / a pity (that) 〜**
　　　　　　　・あんな行動を取る　　**behave / act that way**

(8) あなたの代わりに、私があのわからず屋と話しましょうか？
　　　ヒント　 ・『（私が）〜しましょうか？』と相手の意向を伺う表現は？
　　　　　　　・わからず屋　　**blockhead**

(9) 慰謝料は 100 万円を超えないものとする。
　　　ヒント　 ・慰謝料　　**consolation money**
　　　　　　　・〜を超える　　**exceed 〜**
　　　　　　　・法律や契約の条文で用いられる助動詞は？

(10) 敦子は景史郎に対して、誤解していたことを謝罪しなければならなかった。
　　　ヒント　 ・**must have p.p.** は、『〜したに違いない』という意味。『〜しなければならなかった』ではない。
　　　　　　　・A に〜を謝罪する　　**apologize to A for 〜**

# *Unit 7*　　　　　比べてみよう！―比較表現（1）―

　我々は、常に誰かと、また何かと比較しながら、すべてのものを判断・評価しています。日本語母語話者も英語母語話者も同じです。この『人間の性（さが）』のような表現を使えなければ、満足のいくコミュニケーションは望めません。Unit 7 と 8 では、『比べる』表現の基本を学びましょう。そんなに難しく考える必要はありません。何をどこに嵌め込めばいいのか、その基本をマスターすればいいだけです。最初は少し複雑に思えるかもしれませんが、慣れてしまえば簡単です。

　ところで、比較表現の主役は形容詞と副詞です。考えてみれば、当然のことです。形容詞や副詞には、比較の要素が既に内在しているからです。つまり、**形容詞や副詞自体が、比較された結果として生み出された言葉なのです**（すべてがそうではないですが）。例えば、『敦子は優しい』という台詞を発するとき、話し手の中には、一般的な優しさの基準が存在しており、それを上回ると判断した結果、『優しい』と評価しているのです。『優しい』（warmhearted）という評価タイプの形容詞だけではありません。tall という記述タイプの形容詞も同様です。『彼は背が高い』と言うとき、話し手は、『彼は一般的な基準よりも背が高い』と既に比較しているのです。

　さて、比較表現には、大別して 3 種類あります。1 つ目は、『**A は B と同じぐらい～**』と同等を伝える表現です。日本語で言えば、『モナは純子と同じぐらいの身長だ』となります。2 つ目は、『**A は B より～**』と差を述べる表現です。『敦子は景史郎よりも裕福だ』というのがその例です。3 つ目は、『**A は最も～**』と最高順位を語る表現です。例えば、『景史郎は、今まで会った男性の中で最も誠実だ』となります。では、順を追ってその基本を学んでいきましょう。

## 1．A は B と同じぐらい～

　最初は、簡単な当て嵌め練習を繰り返しましょう。必ず使えるようになります。as と as の中に、形容詞や副詞を放り込んでください。これが最も基本的な形です。

　a.　Atsushi is as busy as Junko.
（敦は純子と同じぐらい忙しい）

　b.　Ms. Yagita speaks as slowly as her predecessor.
（八木田先生は、前任者と同じぐらいゆっくり話す人だ）

　ところで、『同じぐらい』という表現に、なぜ as が使われるのでしょうか。高校で比較表現を習うとき、「前の as は副詞、後ろの as は接続詞です」といった説明を受けた方も多いと思います。でも、それだけだと as が使われている理由がわかりません。簡潔に言えば、as の本質は『イコール関係』と考えてください。「接続詞の as には多くの意味があります」と教わりますが、同一語句に複数の意味が無関連に派生するということは、言語ではまずありません。一見、無関連に思えても、その本質は同じです。

例えば、接続詞の as は、

c. Dance <u>as</u> I do!
　　（私が踊るように踊りなさい！）→ 様態

d. Keishiro said good-bye to that Chinese woman <u>as</u> he left the room.
　　（景史郎は部屋を立ち去りながら、その中国人女性に別れを告げた）→時

e. Sayuri got more irritated <u>as</u> her mother sang.
　　（小百合は、母親が歌うにつれてイライラしてきた）→比例

f. <u>As</u> she didn't know what to say, she remained silent.
　　（何を言っていいのかわからなかたので、彼女は黙っていた）→理由

と多義語のようですが、c では行為におけるイコール関係、e と d では時間的イコール関係、f では因果的イコール関係となっています。また、as には、『〜として』という意味の前置詞用法もありますが、これも同じです。

g. Akiko thought of his blunt comment <u>as</u> an insult.
　　（晶子は、彼の素っ気ない言葉を侮辱とみなした）

晶子の意識では、『彼の何気ない言葉＝侮辱』と捉えられているのです。


## ２．as 〜 as の注意点

　as 〜 as の表現について、次の 4 点に注意してください。
　まず 1 点目ですが、今の英語では、特に口語では、**as 〜 as の後ろの人称代名詞は、目的格が一般的**です。

h. Junichi is as old as <u>me</u>. → ○

i. Junichi is as old as <u>I</u> → △ or ✕

本来、後ろの as は接続詞なので、主格の I が適格ですが、やはり I だけで終わると、英語の母語話者も『え、終わり？』という不自然な語感になるようです。日本語でも、『私は / が』で終わると、何となく落ち着かないのと同じです。そういった経緯から、後ろの as は前置詞用法が優勢となり、目的格の me が大勢を占めるようになりました。どうしても I を使いたければ、as I am とすれば問題ありません（フォーマルな感じが強くなりますが）。
　２点目は、**as と as の間に挟まれた形容詞や副詞は、本来の意味を失ってしまうという点**です。例えば、He is tall.（彼は背が高い）と言えば、『彼は一般的基準よりも背が高い』という意味です。ところが、He is as tall as his father.（彼は父親と同じ身長だ）のように、tall が as 〜 as の中に入ると、『一般的基準よりも背が高い』という tall 本来の意味が失われ、あくまで、『父親と<u>同じ身長だ</u>』となります。つまり、共に身長 2 m でも、1 m 60㎝でも、as tall as なのです。『同じぐらい<u>背が高い</u>』と訳していいかどうかは状況次第です。5 歳

同士の子を比べて、This boy is as old as my daughter. と言うとき、『この子は娘と同じ
ぐらい年寄り（old）だ』と訳してはいけないのと同様です。

　3点目は、実は、この **as ～ as** という表現は、肯定文よりも否定文のほうがよく使わ
れる傾向にあります。否定文の練習は Exercises でやりましょう。

　4点目は、**as ～ as** の中に入るのは、形容詞や副詞1語とは限りません。多種多様な表
現が入ります。でも、難しく考えないでください。何が同じぐらいなのかが入るだけです。
また、**as ～ as** を用いた慣用的フレーズもいくつかあります。これらも Exercises で確認
しましょう。

## Exercises

1．『同じぐらい～』を表す as ～ as は、not, just, 数詞などを初めとするさまざまな限定詞と一
　緒に使われる。しかし、そのルールは簡単。そうした限定詞を as ～ as の前に置いて、流す
　ような勢いで一気に話せばいいだけである。例文を参考にして、次の（　）内に適切な語
　を入れよ。

　（例）Kumi is<u>n't</u> as busy as her sister.
　　　　Atsuko sang the song <u>almost</u> as well as her daughter.
　　　　His office is <u>more than three times</u> as spacious as mine.

(1)　Hiroshi (　) play the guitar (　) (　) (　) his younger brother.
　　（博は、弟ほど完璧にはギターを弾けなかった）
　　　　ヒント：　・**not as ～ as** と一気に流す勢いで。

(2)　Mr. Yoshida was (　) (　) (　) (　) (　) the other staff members.
　　（吉田先生は、他の教職員のほぼ半分ほどの忙しさだ）
　　　　ヒント：　・倍数も **as ～ as** の前に置く。『半分』（**half**）も倍数（2分の1倍）。

(3)　Mr. Matsumoto (　) think of Mr. Fujino, one of his colleagues, (　) (　) (　)
　　Mr. Akamatsu does.
　　（松本先生は、同僚の藤野先生を、赤松先生ほどには高く評価していない）
　　　　ヒント：　・Aを高く評価する　**think highly of A**（この **highly** は副詞）

(4)　My brother was (　) as (　) (　) he (　).
　　（以前、兄は今ほど冷たくなかった）
　　　　ヒント：　・**not as ～ as A** は、『Aと比べると、（そこまで）～でない』という意味。
　　　　　　　　　・冷たい　**cold-hearted**

(5)　Masafumi's gains from gambling are (　) (　) (　) (　) (　) (　) his monthly
　　salary.
　　（賭博による正史の毎月の儲けは、月給の約5倍だ）
　　　　ヒント：　・約～　**about ～**、**around ～**、**approximately ～**
　　　　　　　　　・ここでの形容詞は **large** を使う。

2．『同じぐらい～』を表す as ～ as の中に入るのは、old, tall, beautiful, slowly, strongly など の形容詞や副詞が 1 語だけとは限らない。many books, much rain などの名詞や、driving with my wife, to hate his ex-wife, perfectly on the stage などの句も、as ～ as の中に放り 込むことができる。また、比較対象も、『敦子』『この車』などの簡単な名詞だけとは限らない。 going out with her tonight, to make it public などの句や、he was twenty years ago といっ た文も比較対象となる。例文を参考にして、次の （ ） 内に適切な語を入れよ。

> （例） Junko usually drinks twice as <u>much beer</u> as her husband.
> I'm just as <u>poor at cooking</u> as <u>my sister is at keeping her room clean</u>.
> <u>To speak English</u> is not as difficult as <u>to go out with such a woman</u>.

(1) I can make only （ ）（ ）（ ）（ ）（ ） I used to.
(昔の半分しか、今は稼げない)
ヒント： ・『稼ぐお金（不可算名詞）が半分しか』と考える。
・稼ぐ　　**make money**
・**I used to → I used to make**

(2) There are about （ ）（ ）（ ）（ ） students （ ） your university （ ） in ours.
(君たちの大学の学生数は、我々の大学の約 3 倍だ)
ヒント： ・『学生（可算名詞）が約 3 倍いる』と考える。
・**in ours → (there are) in our university** の **there are** の部分が省略された形。

(3) Defects were found （ ）（ ）（ ） our products （ ） in those of the competitor.
(我が社の製品にも、競合企業と同じぐらいの欠陥が見つかった)
ヒント： ・**defect**　　欠陥
・**frequently**（頻繁に、度々）を使う。
・**those**　　**the products** の反復を避けるための代名詞。

(4) Her daughter won't be able to play the game tomorrow （ ）（ ）（ ） she did last week.
(彼女の娘は、明日の試合では先週ほどの活躍はできないだろう)
ヒント： ・**well**（上手に、見事に）を使う。
・**as she did → as she played**

(5) Mr. Nibe is （ ）（ ）（ ）（ ）（ ）（ ）.
(二部先生は、見かけほど歳を取っていない)
ヒント： ・見かけほど→『見えるほどには』と考える。

3．as ～ as を用いた表現にも、重要フレーズがいくつかある。各問のヒントを参考にして、日 本語を英訳せよ。

(1) 兄は実家に電話すらしてこない。
ヒント： ・**not so much as ～**　　～すらしない
→『～と同程度（**so much as ～**）』もしない（**not**）という意味。**not even** ～のほうが口語的。

(2) 兄嫁は挨拶もせずに家を出て行った。

ヒント：　・**without so much as ～ing**　　～すらしないで → 原理は (1) と同じ。但し、**without**は前置詞なので、
その目的語は名詞形 (動名詞) になる。**without even ～ ing** のほうが口語的。尚、**without** の本質は、
『～がないこと』『～と結び付いていないこと』
　　　　　・別れの挨拶は、**say good-bye** でよい。

(3) できる限り早く戻っておいで。

ヒント：　・できる限り～　　**as ～ as possible / as ～ as one can**
→『可能なレベル（**possible / can**）と同じぐらい～』という意味。

(4) 神戸港は、世界のどの港にも劣らず美しい。

ヒント：　・どの・・・にも劣らず～　　**as ～ as any ...** →『選択の任意性』（どれを選んでも）を本質とする **any** が、
**as ～ as** とコラボしたもの。実は、**any** はその意味から、比較表現と相性がよい。『どんな（**any**）・・・
と比較しても、同じぐらい～』ということは、どんな・・・には、当然一番も含まれているので、『どん
な・・・にも<u>劣らず</u>』となる。

(5) 進子は相変わらず不愛想な表情をしていた。

ヒント：　・相変わらず～　　**as ～ as ever** → **ever** は、**any** の時間版と考えるとわか
りやすい。つまり、『いつの時点を選んでも』という意味。いつの時点を
選んでも～ということは、『相変わらず』となる。
　　　　　・不愛想な　　**surly, crusty**

(6) 静かにしている限りは、この部屋にいてもいいよ。

ヒント：　・～の限り　　ここでは、**as long as ～**を使う。→『長さ』や『期間』を表す **long** が、**as ～ as** の中に
組み込まれると、『～と同じ長さ / 期間ならば』という意味から、条件を表す。

(7) 私の記憶にある限り、妻は常に笑顔だった。

ヒント：　・～の限り　　ここでは、**as far as ～**を使う。→『遠くへ』という意味の **far** が、
**as ～ as** の中に組み込まれると、『～が届くのと同じぐらい遠くへ→～が届く限
りは』となり、『可能範囲』を表す。ここでは、『記憶の届く範囲では』という意味。

(8) 赤松先生はその仕事を 3 時間で終えたが、吉田先生は 3 日かかった。

ヒント：　・同数の～　　**as many ～** →『前述の数字と同数の～』(**as many ～ as the above-mentioned
figure**) という意味。ここでは、3 時間の『3』が同じ数字となる。ただ、**hours** と **days** という単
位に違いがあるだけ。

(9) 彼の妻は昨夜蒸発した。まぁ、その程度のことは予想していたけどね。

ヒント：　・その程度のことは　　**as much** →『前述の内容と同じ程度のことは』(**as much as what was
mentioned above**) という意味。ここでは、『彼の妻の蒸発と同程度（**as much as**）のことは』とな
る。但し、この表現は、文脈上比較対象が明白なので、後ろの **as ～**は省略されるのが原則。
　　　　　・蒸発する　　**go into hiding**

(10) 酒とギャンブルがなければ、正史は死んだも同然だ。

ヒント：　・～も同然　　**as good as ～** →ここでの **good** は、『優秀な』ではなく、『たっぷりある、十分にある』
という意味。つまり、『死んだのとたっぷり同じ状態にある→死んだも同然』となる。

　Unit 7 では、『A は B と同じぐらい〜』という比較表現を学びました。今回は、『**A は B より〜**』と差を述べる比較表現と、『**A が最も〜**』と最高順位を語る表現です。この 3 点セットを理解して初めて、比較表現の基本を学んだと言えます。

## 1．A は B より〜

　前回までの as 〜 as と違って、この比較表現は、入口で少し戸惑ってしまうかもしれません。それは、as 〜 as では、形容詞や副詞の原級（そのままの形）を嵌め込めば OK でしたが、この差を述べる表現では、形容詞や副詞の語尾を -er 形に変化させるか、more ＋原級にしなければならないからです。尚、しばしば見受けられる間違いですが、more -er は不可です（例： <u>more</u> stronger）。

a. Masafumi is <u>smarter</u> than Yasuo. → ○

b. Masafumi is <u>more intelligent</u> than Yasuo. → ○

c. Masafumi is <u>more smarter</u> than yasuo. → ×

d. Masafumi is <u>intelligenter</u> than Yasuo. → ×

　『2 音節以下の語は -er 形になり、3 音節以上の語は more ＋原級になります』と教わりますが、特に、2 音節以下の単語には、**-er 形を取るもの**、**more ＋原級を取るもの**、その両方が可能なものが混在しており、ネイティブスピーカーにとっても紛らわしいようです。例えば、common, polite, famous, honest などは 2 音節の単語ですが、

e. Knowledge of dealing with heavy snow is <u>commoner</u> in Hokkaido than in Tokyo. → ○

f. Knowledge of dealing with heavy snow is <u>more common</u> in Hokkaido than in Tokyo. → ○

g. He is <u>politer</u> than he used to be. → ○

h. He is <u>more polite</u> than he used to be. → ○

i. Prof. Matsumoto is a <u>famouser</u> psychologist than me. → ×

j. Prof. Matsumoto is a <u>more famous</u> psychologist than me. → ○

k. Mr. Fujino is stupid, but <u>honester</u> than everyone here. → ×

l. Mr. Fujino is stupid, but <u>more honest</u> than everyone here. → ○

となります。また、**比較級・最上級が不規則変化する語も若干ありますが**、

> good-<u>better-best</u>
> well-<u>better-best</u>
> bad-<u>worse-worst</u>
> badly-<u>worse-worst</u>
> ill-<u>worse-worst</u>
> many-<u>more-most</u>
> much-<u>more-most</u>
> far-<u>farther/further-farthest/furthest</u>
> old-<u>older/elder-oldest/eldest</u>

などを覚えておけば十分です。

## ２．基本形の作り方

　では、これから『〜よりも・・・』という差を述べる比較表現の基本形を学びましょう。作り方は簡単です。前述したように、**形容詞や副詞の語尾を er 形にするか、more ＋原級にするかで OK** です。そして、その後に『〜よりも』と基準（比較対象）からの逸脱を表す **than** を置けばいいだけです。この than は本来、文（SV 〜）と文（SV 〜）を繋ぐ接続詞でしたが、今では前置詞用法が一般的です。例えば、『彼の犬は僕よりも賢い』と言う場合、次のようになります。

a. His dog is smarter <u>than me</u>. → ○

b. His dog is smarter <u>than I am</u>. → ○

c. His dog is smarter <u>than I</u>. → × or △

　無論、この比較表現にも、not, no, much, a lot, far, even, a little, somewhat, 数詞等、さまざまな限定詞が付きます。**比較の程度を限定しているので、比較級の前に置かれます。**

d. Shinko is <u>not more refined</u> than Chiharu.
　（進子は千春よりも上品ではない）

e. This room is <u>even more reasonable</u> than the previous one.
　（この部屋は、前の部屋よりもいっそうお手頃だ）

f. We need <u>five million more dollars</u> to complete this program.
　（このプログラムを完遂するには、あと５百万ドル必要だ）

g. Yoshiko's house is <u>three times bigger</u> than mine.
　　（佳子の家は、僕の家の３倍でかい）

　更に、主語や比較対象には、**as ～ as** と同様、さまざまな形が可能です。

h. <u>To stretch the truth a bit</u> is much easier than <u>to tell an outright lie</u>.
　　（少々話を盛るほうが、真っ赤な嘘よりもずっと簡単だ）

i. Junko looks a lot younger tonight than <u>she really is</u>.
　　（今夜の純子は、実際よりもずっと若く見える）

　また、**-er** や **more** を用いた比較表現にも、慣用的フレーズがあります。次の最上級表現と併せて、Exercises で紹介します。


## ３．Aが最も～

　最後に、『Aが最も～』と最高順位を伝える表現です（最上級表現）。この文では、形容詞や副詞の語尾を -est 形に変化させるか、most ＋原級にします。ここでも、most -est は不可です（例： <u>most strongest</u>）。

a. Shinko is <u>the meanest</u> woman in this university. → ○

b. Shinko is <u>the most meanest</u> woman in this university. → ×

c. Akio is <u>the most henpecked</u> husband in this university. → ○

d. Akio is <u>the henpeckedest</u> husband in this university. → ×

　『２音節以下の語は -est 形になり、３音節以上の語は most ＋原級になります』と教わりますが、-er / more ＋原級の場合と同様、特に、２音節以下の単語には、**-est** 形を取るもの、**most** ＋原級を取るもの、その両方が可能なものが混在しており、ネイティブスピーカーにとっても紛らわしいのは、やはり同じです。先に挙げた、common, polite, famous, honest などでも、

e. Peaches are <u>the commonest</u> crop in Okayama. → ○

f. Peaches are <u>the most common</u> crop in Okayama. → ○

g. He is <u>the politest</u> student in this class. → ○

h. He is <u>the most polite</u> student in this class. → ○

i. Prof. Matsumoto is <u>the famousest</u> psychologist in Japan. → ×

j. Prof. Matsumoto is <u>the most famous</u> psychologist in Japan. → ○

k. Mr. Fujino is stupid, but <u>the honestest</u> worker in this company. → ×

l. Mr. Fujino is stupid, but <u>the most honest</u> worker in this company. → ○

となります。

## 4. 最上級表現の注意点

　我々日本人が、最上級表現で注意すべき点を4つ指摘しておきます。

　まず、1点目ですが、形容詞の最上級には、原則として the（定冠詞）が必要です（口語では省略されることもありますが）。その理由は、形容詞の最上級は名詞と結び付いており、『最も～』『一番～』と示すことによって、聞き手が自動的にその1つに決めることができるからです。つまり、定冠詞 the の機能が働いているからです。

　2点目は、日本語で何の脈絡もなく、『彼女は最も美しい』と言っても通じますが、英語では明白な脈絡がない限り、最上級の後の名詞と比較範囲を省略するべきではありません。例えば、She is the most beautiful. とだけ発しても、beautiful に後続する名詞として、woman だけでなく、girl, student, staff member, manager, teacher, doctor, soldier, professor, actress, mother, colleague など無限に考えられるため、ネイティブスピーカーは困惑するからです。また、その比較範囲も、in the company, in this class, I've ever seen などと明確にしなければ、具体的な最上級表現としては機能しません。

　3点目は、学校でよく練習させられる最上級の書き換え表現です。例えば、

a. Masafumi is the smartest student in this class.

b. = No other student in this class is as smart as Masafumi.

c. = No other student in this class is smarter than Masafumi.

d. = Masafumi is smarter than any other student in this class.

といった書き換えです。一見、同じ情報を伝えているようですが、これらはまったくの同意文ではありません（そもそも、表現が異なるのに、100％同じニュアンスの文はこの世に存在しません）。『正史が一番賢い』という情報を最も客観的なニュアンスで伝えたければ、a が適切です。b と c の No を文頭に置いた表現では、正史の賢さが既に話題になっており、そんな彼に敵う生徒はこのクラスにはいない、つまり、『正史はそれほど賢いのだ』という話し手の思いが a よりも強く表れています。一方、d では、正史は頭があまりよくないという文脈が前提としてあり、『でも、このクラスの中では、他のどの生徒よりも頭がいいよ』といった流れで使われるのが一般的です。

　4点目は、副詞の最上級は、most, best, least, hardest, fastest などを除けば、その使用頻度はあまり高くありません。例えば、

e. Remy uses chopsticks <u>most skillfully</u> among the girls. →△

よりも、

f.　Remy is <u>the most skillful user</u> of chopsticks among the girls. → ○

が一般的です。

　また、『副詞の最上級には、the を付けない』と教わりますが、実際には、

g.　Which city do you like (the) best?

h.　Atsushi works (the) hardest of those staff members.

i.　Sayuri swims (the) fastest in this club.

と、the を付けるネイティブスピーカーもたくさんいます。

---

## Exercises

1.　『同じぐらい〜』（as 〜 as）と同様、『〜よりも・・・』と差を述べる表現も、さまざまな限
　　定詞と一緒に使われる。この場合も、ルールは簡単。そうした限定詞を比較級(-er や more 〜)
　　の前に置いて、流すような勢いで一気に話せばいいだけである。例文を参考にして、次の(　)
　　内に適切な語を入れよ。

　　　　（例）Kumi is<u>n't</u> busier than her sister.
　　　　　　　Sayuri sang the song <u>a little</u> better than her mother.
　　　　　　　His office is <u>three times</u> more spacious than mine.

(1)　Akiko (　) (　) (　) on Keishiro than Yoshiko was.
　　（晶子は、佳子ほど景史郎に辛く当たらなかった）
　　　　ヒント：　・**be hard on** 〜　〜に厳しい、〜に辛く当たる

(2)　Mr. Yoshida (　) (　) (　) (　) (　) on the exam of philosophy (　)
　　Mr. Akamatsu.
　　（哲学の試験では、吉田君は赤松君よりもずっと点数が高かった）
　　　　ヒント：　・『ずっと〜』と比較級を強調するときは、**much** や **a lot** を用いる。尚、**very** や **so** は
　　　　　　　　　原級と共に使われる。
　　　　　　　　・**get a high score**　高得点を取る

(3)　Nobuko (　) (　) any (　) (　) (　) Chiharu.
　　（信子は千春よりも、全然利発ではなかった）
　　　　ヒント：　・**any** 〜の本質は、『どんな〜を取り出しても』という選択の任意性。したがって、**not** + **any** 〜で、『ど
　　　　　　　　　んな〜を取り出しても **not**』→『まったく〜でない』という全部否定になる。ここでは、『どんな分
　　　　　　　　　量でも、千春を上回っていることはなかった』という意味。
　　　　　　　　・利発な　　**intelligent**

(4) The yearly income of my brother's family is approximately (　) (　) (　) (　) (　) that of mine.

（弟の家族の年収は、我が家の年収の約４倍だ）

　　ヒント：　・income（収入）に対応する形容詞は、**large / small**
　　　　　　　・**that of mine = the yearly income of my family**（英語では比較対象を正確に表現する。比較すべきは『年収』と『年収』）
　　　　　　　・**approximately ～**　　約～

(5) The population of South Korea is (　) (　) (　) that of Japan.

（韓国の人口は、日本の人口の半分以下だ）

　　ヒント：　・～以下　　**less**（**little** の比較級）を使う。
　　　　　　　・**that of Japan = the population of Japan**（英語では比較対象を正確に表現する。比較すべきは『人口』と『人口』）
　　　　　　　・Ａの半分　　**half (of) A**

2．A is no more ～ than B. は、『Ａは B 同様～でない』という意味になる。『クジラ構文』や『クジラの公式』といったネーミングもあるが、大切なのは、この構文の気持ちを知ることである。

　　１つ目のポイントは、no は『まったく～でない』という強い否定、つまり、『ゼロ』を表すという点にある。例えば、no+ 名詞は、『ゼロ×名詞＝ゼロ』となる（I have no friends here. →ここでは友人がゼロ）。これをこの構文に当て嵌めれば、『Ａが～の点で B を上回っているなんてトンデモない。上回っている点はゼロだ』となる。

　　この構文が成立するときのもう一つのポイントは、話し手の中で、『～の点では B がゼロ、もしくは、限りなくゼロに近い』と認識されている点である。例えば、My husband is no more considerate of others than my brother's wife.（夫は兄嫁と同様、他人に思いやりのない人だ）では、話し手は、『兄嫁＝思いやりゼロ』と認識している。

　　３つ目のポイントは、than の後に当事者間や世間における『自明の理』が置かれる点である。

　　これらのポイントと例文を参考にして、次の（　）内に適切な語を入れよ。尚、no more の位置は、原則、be 動詞と助動詞の場合はその後、一般動詞の場合はその前である。

　　　（例）Yasuo is <u>no more</u> intelligent <u>than</u> Masafumi.
　　　　　　He can <u>no more</u> swim <u>than</u> I can.
　　　　　　I <u>no more</u> like cats <u>than</u> my wife.

(1) That guy (　) (　) (　) (　) (　) (　) you are.  I believe he's going to fight.

（あいつは君同様、臆病者じゃないぞ。きっと戦うよ）

　　ヒント：　・臆病者　　**a chicken**

(2) You've got to be kidding!  This (　) (　) looks like (　) (　) (　) (　) (　) that trash can you see there.

（冗談だろ！これが芸術作品に見えるかよ。あそこのゴミ箱と同じだよ）

　　ヒント：　・芸術作品　　**a work of art**
　　　　　　　・**trash can**　　ゴミ箱

(3) You can (　) (　) (　) (　) (　) than you (　) walk on the sea.

（俺の考えを変えることは絶対無理だよ）

　　ヒント：　・考えを変える　　**change one's mind**
　　　　　　　・**walk on the sea**　　『海の上を歩く』という意味だが、ここでは訳出不要。『俺の考えを変えることができない』のは、それほどまでに『自明の理』だという喩えに使っているだけ。

(4) That woman (　) (　) (　) (　) to marry him (　) a pig.

（あの女が、彼と結婚だなんてとんでもないわ）

ヒント　・be fit to V〜　　〜にするのに相応しい
　　　　・ここでの a pig（豚）も、『自明の理』の喩えに使われているだけ。訳出不要。

(5) Your son (　) (　) (　) come home again (　) your husband.

（息子さんは二度と帰って来ないわ。ご主人と同様にね）

ヒント　・『予測』を表す助動詞を用いる。

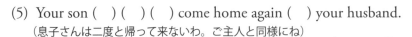

3．比較級や最上級を用いた表現にも、重要フレーズがいくつかある。各問のヒントを参考にして、日本語を英訳せよ。

(1) 佳子は、2人の兄弟のうちの貧しいほうと結婚した。

ヒント：・the 比較級 of the two
　　　　→比較級に the が付くのは不思議に思えるかもしれないが、『2者のうちの〜なほう』という意味から、自動的に一方に決まるため、定冠詞 the が付いている。ただ、この表現は、両者の比較に焦点があるのではなく、2者択一のうちのこちら側を選んだという点に焦点がある。尚、of the two の two は省略可。2者間での比較が明白だから。

(2) デザートを食べれば食べるほど、アルコールが飲めなくなった。

ヒント：・the ＋比較級 SV〜、the ＋比較級 S′V′・・・
　　　　→文法的には、前者の the は文と文を繋ぐ関係副詞、後者の the は『その分だけ』という意味の指示副詞だが、あまり難しく考える必要はない。要するに、『一方が変化すれば、その変化した分だけもう一方も変化する』という比例・依存関係を表す。
　　　　・the more desserts と the less alcohol を使う。ここでの more は many の比較級、less は little の比較級。

(3) 彼女は姉同様に傲慢だ。

ヒント：・A は B 同様〜　　A is no less 〜 than B. を用いる。
　　　　→ 前述の A is no more 〜 than B. の裏返し。つまり、『A が〜の点で B に劣っている（less）なんてトンデモない（no）』→『A は B 同様〜』となる。
　　　　・傲慢な　　arrogant、haughty、uppish

(4) 博は駆け出しの会計士にすぎない。

ヒント：・no more than 〜　　〜にすぎない
　　　　→ A is no more than B. と連続したパターンだが、その原理は A is no more 〜 than B. と同じ。つまり、『A が B のレベルを超えている（more）なんてトンデモない（no）』→『A は B のレベルにすぎない』となる。
　　　　・駆け出しの　　fledgling

(5) 本当に起業するのか？　まさに伸るか反るかの大博打だな。

ヒント：・no less than 〜　　まさに〜、〜も（数量を強調して）
　　　　→ no more than 〜の裏返し。『〜より劣っている（less）なんてとんでもない（no）』→『まさに〜』『〜もある』となる。
　　　　・起業する　　start one's own business
　　　　・伸るか反るか　　a case of "sink or swim"

(6) その計画を実行するには、最低でも2百万円以上の経費がかかるよ。

> ヒント：・**not less than ～**　　～以上の、少なくとも～
> → **no less than ～** との違いは、**no** と **not** のニュアンスの差にある。『決して～でない』と強く否定する **no** のニュアンスに対して、**not** は『～でない』と客観的に打ち消すニュアンスに近くなる。つまり、**not less than ～** は、『～より劣って（**less**）いない（**not**）』と打ち消しているだけ。
> ・～の経費がかかる　　**need expenses of ～**
> ・実行する　　**carry out**

(7) 彼は上司に口答えするようなバカじゃない。

> ヒント：・**know better than to V ～**　　～するようなバカじゃない
> →『～するよりもよいやり方を（**better**）知っている（**know**）』から、『～を超えた分別がある→～するようなバカじゃない』となる。
> ・～に口答えする　　**talk back to ～**

(8) 娘は利発じゃないので、それだけ愛おしい。

> ヒント：・**SV ～ all the** 比較級 **because / for ...**　　・・・なのでそれだけ～
> → この **the** は『その分だけ』という意味の指示副詞。何が『その分だけ』かと言えば、『**because / for** 以下の分だけ』ということ。つまり、ここでは『利発でない分だけ』という意味。尚、**because**（接続詞）の後には文（**SV**）が、**for**（前置詞）の後には名詞が来る。
> ・愛おしい　　**special、precious**

(9) これは、彼が今まで生み出した中で断然優れた作品だ。

> ヒント：・断然～　　**by far ～**
> →『遠くへ』という意味の **far** が、『かけ離れて』という意味で使われた形。最上級を前から限定（修飾）する。

(10) 人口の点では、神戸は日本で7番目に大きな都市だ。

> ヒント：・**the** 序数＋最上級　　何番目の～
> → 最上級は『最も～』と教わるので、一番目にしか使われないと誤解されがちだが、一番目でなくても最上級が用いられる。尚、順位を述べるときは、『それに決まる』という原則から、定冠詞 **the** が使われる。その際、『**the** 序数＋最上級』の語順になることに注意。
> ・～の点では　　**in terms of ～**

　少し難しい説明をすれば、動詞をその形式で分類すると、『定型』（finites）と『非定型』（non-finites）に分かれます。定型とは、SVC, SVO, SVOC など、文の述語動詞として使われる形式であり、非定型とは、I have no time <u>to visit</u> you. や、Chiharu enjoyed <u>driving</u> with Masafumi. といった to V や～ ing など、一般に『準動詞』と呼ばれているものです。では、両者の違いはどこにあるのでしょうか？もう少し堅苦しい話にお付き合いください。まず、定型は、

① 単独で述語動詞として用いることができる。つまり、**SV ～の V** になることができる。
② 人称（３人称単数）、時制（現在形・過去形）、態（能動態・受動態）、法（直説法・仮定法・命令法）、相（進行形・非進行形）などの文法的枠組みと結び付いている。

といった点を特徴にしています。一方、非定型である『準動詞』（不定詞・動名詞・分詞）は、

① 単独では、述語動詞として用いることができない。つまり、**She <u>to love</u> cheese.** や、**He <u>buying</u> a car.** などは不可。
② ほとんどの場合、名詞、形容詞、副詞など他の品詞の働きをする。
③ 態と相には結びついているが、人称、時制、法とは無関係である。

といった点を特徴にしています。特に、①②の点は常に意識してください。もちろん、『準動詞』も元は動詞なので、定型との共通点があります。それは、

a. Her husband tore up the papers from the job placement office.
　　（彼女の夫は、<u>職安からの書類を引き裂いた</u>）

b. Her husband regretted having torn up the papers from the job placement office.
　　（彼女の夫は、<u>職安からの書類を引き裂いた</u>ことを後悔した）

と目的語、補語、修飾語句等を伴って、動詞句を形成できるという点です。

　難しい話はここまでです。では、実際に、準動詞が紡ぎ出す幅広い世界を見ていきましょう。先ずは、to 不定詞（to V）からです。


## 1．to 不定詞は『行為』を表すために生まれた

　to 不定詞の起源は、『行為』（～すること）を表す目的で、動詞（の語幹）が文中で主語や目的語として用いられたことにあります。やがて、古英語から中期英語の時代に入ると、最初は主語の位置で to V 型となり、やがて目的語の位置でも to V 型となっていきます。つまり、to 不定詞は、『名詞用法』（～すること）から始まりました。もちろん、今の英語でも、その形で使われています。

a. <u>To lose</u> any more weight than this will be extremely dangerous.
　（これ以上減量することは、極めて危険だ）

b. My dream is <u>to get</u> a gold medal in the Olympic Games.
　（僕の夢は、オリンピックで金メダルを取ることだ）

　さて、to と言えば、既にお気付きだと思います。そう、前置詞にも to がありますね。例えば、Junko went <u>to</u> Kobe last month. の to です。実は、to 不定詞の to も、その起源は同じ前置詞の to なのです。前置詞 to の本質は、『〜へ向かう』『〜へ到達する（〜と結び付く）』といったイメージです。したがって、to 不定詞には元来、『これから進む方向＝未来的要素』が含まれていました。上の例文で説明すると、a の『これ以上減量すること』も、b の『金メダルを取ること』も未来における事柄です。

c. Yoshiko decided <u>to separate</u>.
　（佳子は別れることに決めた）

も同様です。佳子が別れるのは、述語動詞（decided）よりも後で起きる事柄です。hope, want, desire, expect, require, decide, promise, agree, refuse など、願望、欲求、期待、要求、決断、約束、同意、拒絶等を表す動詞の目的語の位置では、『述語動詞よりも後で起きる』ことを意味する to 不定詞が置かれるのはそのためです。これが、to 不定詞に本来備わっていた意味でした。


**２．さまざまな意味へと広がった to 不定詞**
　名詞用法（〜すること）から始まった to 不定詞ですが、やがて、さまざまな用法（使い方）と意味を生み出していきます。でも、その基本原理に変化はありません。前置詞 to が持つ『〜へ向かう』『〜へ到達する（〜と結び付く）』というイメージが、すべての根底にあります。

①　to V が形容詞の働きをする場合
　to 不定詞が後ろから前の名詞を修飾する場合があります。名詞を修飾するのは形容詞なので、『to 不定詞の形容詞用法』と呼ばれています。でも、そんなネーミングよりも、その基本イメージを感じ取ってください。『どんな名詞なのかは、to 不定詞に目を向けてください』『その名詞は、to 不定詞と結び付いていますよ』と言っているのです。

a. Keishiro needs a secretary <u>to manage</u> his schedule.
　（景史郎には、スケジュールを管理してくれる秘書が必要だ）

b. Take advantage of the chance <u>to see</u> the Chinese woman in Shanghai.
　（上海で例の中国人女性に会えるチャンスを生かすんだぞ）

つまり、aでは『秘書→どんな？→管理してくれる秘書』、bでは『チャンス→どんな？→会えるチャンス』ということです。

### ② to V が副詞の働きをする場合

　中学校で、「to 不定詞の副詞用法は、『～するために』と訳します」と教わったことでしょう。無論、そうした文法用語を覚えることはまったくの無駄ではありませんが、文法的記述を暗記しただけでは、英語は使えません。我々にとって英語は生活言語でない以上、「どうして？」という疑問に答えてくれる基本原理に触れなければなりません。

　to 不定詞の副詞用法と呼ばれているものには、いくつか意味がありますが、やはり、それらの根底にあるのは、名詞用法や形容詞用法で説明したものと同じイメージです。では、副詞用法と呼ばれているものを具体的に見ていきましょう。

c. Mona went to Ireland <u>to study</u> the folklore there.（目的）
　（モナは、現地の民俗学を研究するため、アイルランドへ行った）

d. Keishiro was so surprised <u>to receive</u> an email from Yoshiko for the first time in 28 years.（感情の原因）
　（景史郎は、**28** 年ぶりに佳子からメールを受け取って、非常に驚いた）

e. Her husband must be out of his mind <u>to yell</u> in that restaurant.
　　　　　　　　　　　　　　　　　　　　　　　　　（判断の根拠）
　（あのレストランで喚くなんて、彼女の夫は頭がおかしいに違いない）

f. That girl grew up <u>to be</u> a dentist.（結果）
　（あの女の子、歯医者になったよ）

g. My brother's wife isn't smart enough <u>to have</u> common sense.（程度）
　（兄嫁は常識すら持ち合わせていない）

h. <u>To hear</u> him speak, you couldn't imagine that he is a scammer.（仮定）
　（彼が話すのを聞いたら、詐欺師だなんて想像できないだろう）

i. Her husband is hard <u>to deal with</u>.（形容詞を修飾）
　（彼女の夫は扱いにくい）

　「何だかたくさんの意味があってたいへんだ！」「こんなの覚えられない！」と思っている人も多いかもしれませんね。でも、次のような繋がりが見えてくるはずです。先の例文を挙げれば、

『モナがアイルランドに行ったのは、to study ～ と結び付いている』

『景史郎が非常に驚いたのは、to receive ～ したことと結び付いている』

『彼女の夫の頭がおかしいと判断したのは、to yell ～ と結び付いている』

『あの女の子の成長は、to be a dentist へ結び付いた』

『兄嫁は、to have ～ と結び付いた頭を持っていない』

『to hear 〜すれば、想像できないことに結び付くだろう』

『難しさは、to deal with と結び付いている』

となります。どうですか？少し回りくどい説明だったかもしれませんが、前置詞 to が持つ基本イメージ『〜へ向けて』『〜へ到達する（〜と結び付く）』が、すべての文にしっかりと根付いていますね。

　最後に、Exercises で理解を深めましょう。to V に関するその他の注意点や、慣用的フレーズも紹介します。

---

**Exercises**

**1.各問のヒントを参考にして、次の（　）内に入れるのに適切なものを、①〜④の中から選び、番号で答よ。**

(1) I don't know anything about the agenda （　）at the next meeting.
　　（次の会議で討議されるべき議題については、何も知らない）

　　① being talked about　　② talking about
　　③ to talking about　　④ to be talked about

　　　ヒント：・名詞用法を起源とする **to** 不定詞が、形容詞や副詞の働きをするようになったのは既述のとおり。しかし、用法が広がっても、**to** 不定詞が元来持っていた『未来的要素』という本質には変わりなし。本問では、直前の名詞 **agenda** を修飾する表現が問われている。**at the next meeting** がポイント。また、**agenda** と **talk about** との関係にも注意。

(2) Junko and Mona wanted （　）at the party.
　　（純子とモナは、パーティーでもっと肉が欲しかった）

　　① more meat serve　　② more meat to be served
　　③ more meat serving　　④ more serving meat

　　　ヒント：・**want, expect, require, tell, order, ask, advise** など、欲求、期待、要求、命令、依頼、助言等を表す動詞の用法。『〜する方向へ相手を押し出す気持ち』が表れている。

(3) I gave her the money because she （　）.
　　（彼女が欲しいと言ったから、その金をあげたんだ）

　　① was to ask me　　② asking to
　　③ asked me to　　④ asks me to

　　　ヒント：・『代不定詞』に関する知識が問われている。聞き手や読み手に **to** 不定詞句を認識させる指標として **to** を文中に残すのを『代不定詞』と言う。尚、**ask** の語法に関しては、**(2)** のヒントを参照。

(4) All his wife needed was （　）her husband once again.
　　（彼の妻が求めたのは、もう一度夫に触れることだけだった）

　　① touch　　② touched　　③ being touched　　④ to touch

　　　ヒント：・**All you have to do is (to) V** 〜で、『君は〜しさえすればいい』という意味の慣用フレーズはよく知られています。本問も同じ構造。**All you have to do** が **All his wife needed** に変わっただけ。但し、**All you have to do** 〜では、be 動詞の補語に **to** 不定詞の代わりに、原形不定詞（動詞の原形）が使われることも多い。しかし、原形不定詞が使われるのは、前に **do** があるときのみ。つまり、**All his wife needed to do** であれば、補語に原形不定詞を使うこともできるが、本問では **do** はない。

(5) (　　), he got a first-round-bye.

（実を言うと、彼は１回戦不戦勝だった）

　① To tell me the truth 　　② To tell you the truth

　③ To be the truth 　　④ To be telling you the truth

ヒント：・**to be frank with you**（率直に言って）、**to be sure**（なるほど、確かに）、**to say nothing of** ～（～は言うまでもなく）等、**to** 不定詞を用いた慣用フレーズも多い。主として文修飾の働きをするため、副詞用法に分類される。ただ、主語や時制に関係なく、常に決まった形で使われる。尚、こうした **to** 不定詞句は、『独立不定詞』と呼ばれている。

## ２．各問のヒントを参考にして、次の（　　）内に適切な語を入れよ。

(1) (　　) will be appropriate (　　)(　　) like him at the party.

（パーティーでは、彼のように振る舞うのが適切だ）

ヒント：・所謂、形式主語（仮主語）構文。英語では、新しい情報や情報量の多い部分は、頭でっかちな文構造を避けるために、後ろに置かれる傾向がある（『文末焦点の原則』『文末重点の原則』）。これは、聞き手の心理的負担を軽減し、聞き逃しのリスクを少なくするための機能的な文法規則とも言える。形式主語構文もそうした目的で使われる。「本当の主語は後に登場しますが、取り敢えず、まぁ、『それ』ということにしておきましょう」といった感覚。

(2) The detailed schedule is (　　)(　　)(　　)(　　).

（詳細なスケジュールは未定だ）

ヒント：・**be yet to V** ～で、『まだ～していない』という意味。『未だに（**yet**）**to V** ～すべき状態にある→まだ～していない』となる。この表現には、これから行われることを話し手が今でも期待しているというニュアンスが含まれている。
　　　　・主語の **schedule** と、『決める』との関係に注意。すなわち、**schedule** は『決めるのか』or『決められるのか』という態の問題が、**to V** の形に反映される。

(3) Akiko seems to (　　)(　　) out with him years ago.

（昔、晶子は彼と付き合っていたようだ）

ヒント：・**seem to V** ～　　～のように見える、～に思える
　　　　・**to V** ～が、述語動詞（ここでは **seems**）よりも以前に起きたことを表すときは、**to** 不定詞を完了形（**to have p.p.**）にする。これを『完了形不定詞』と言う。

(4) It was so foolish (　　)(　　)(　　)(　　) that way in front of everyone.

（皆の前であんな口の聞き方をするなんて、君は本当にバカだったなぁ）

ヒント：・ここの **It** は形式主語（仮主語）。
　　　　・形式主語（仮主語）構文では、**to** 不定詞の意味上の主語（**to V** する主体）は、原則、**for** ～で表す（文の主語と **to V** の主体が異なる場合、**to V** の主体を明示する役割）。但し、**to V** ～が表す行為を評価して、『～するなんて優しい、冷たい、賢明だ、バカだ』と言うときは、**to** 不定詞の意味上の主語は、**of** ～で表す。ただ、この表現は、あくまで行為（**to V** ～）との関連で、『～だなぁ』と言っているだけで、その人の内在的性質（人格）を評価しているのではない。
　　　　・**that way**　　あんなふうに、そんなやり方で

(5) That guy should be (　　)(　　)(　　)(　　)(　　) the rules in public.

（あの男は、人前でのルールを弁えられる程度の分別を持つべきだ）

ヒント：・**enough to V** ～（～するほど、～できるほど）は、形容詞や副詞を修飾して『程度』を表すが、その位置は、形容詞・副詞の後に来る。尚、**enough to V** ～は、『～するには足りている』という意味であって、決して一般的・抽象的に『十分ある』『余っている』と言っているのではない。
　　　　・分別がある　　**wise**、**sensible**
　　　　・弁える　　**make out**、**figure out**

**3．各問のヒントを参考にして、日本語を英訳せよ。**

(1) 敦があの状況で純子とモナに優しくしたのは、素晴らしかった。

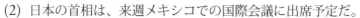

ヒント： ・形式主語（仮主語）を用いて表現できる。**to** 不定詞の意味上の主語が必要。
・〜に優しくする　　**be nice to 〜**、**be kind to 〜**

(2) 日本の首相は、来週メキシコでの国際会議に出席予定だ。

ヒント： ・首相や大統領など公人の『予定』には、**be to V** が使われることが多い。『（神の意思によって）**to V**
する方向へ運命付けられている』というのが、この表現の元来の意味。そこから、第三者よって決め
られた予定に用いられるようになった。通常、公人は自ら予定を決めないので。
・国際会議　　**international conference**

(3) 日本の首相は、先週メキシコでの国際会議に出席予定だったんだけどね・・・

ヒント： ・**be to V** で『予定』を表すのは **(2)** で説明したとおり。但し、『実現されなかった予定』（〜する予定だっ
たのに・・・）を表すときは、**be to have p.p.**（完了形不定詞）になる。

(4) 静は景史郎が中に入れるように、扉を開けておいた（in order to を用いて）。

ヒント： ・**to V** の前に **in order** や **so as** が置かれると（**in order to V / so as to V**）、『〜するため』と
いう目的の意味に限定される。但し、ここでは、文の主語（静）と **to V** の主体（景史郎）
が異なるので、**to V** に意味上の主語（**for 〜**）が必要。すなわち、**in order for 〜 to V** となる。
尚、**so as for 〜 to V** という形は使われないので注意。

(5) 夫の怒りは、25 円の値上げとは無関係です。

ヒント： ・**to** 不定詞の形容詞用法。**have something to do with 〜**で『〜と関係がある』、**have nothing to do**
**with 〜**で『〜と無関係である』と **chunk**（塊）で覚えるべき。尚、ここでの **do with 〜**は、『〜と
関係がある』という意味。
・値上げ　　**markup**、**hike**

(6) 更に悪いことに、夫には話せる友人が一人もいなかった。

ヒント： ・『更に悪いことに』という意味の慣用フレーズは？
・『友人と話す』は、**talk to / with a friend** と表現される。では、『話せる友人』は？

(7) 彼は去年だけで、6 件の交通事故を引き起こしたと噂されている。

ヒント： ・〜だと噂されている　　**be said to V 〜**、**be rumored to V 〜**
・〜を引き起こす　　**cause 〜**　但し、『噂されている』よりも、『交通事故を引き起こした』ほうが時
間的に先行しているので、完了形不定詞（**to have p.p.**）になる。

(8) いつここを出るべきか、また、どこに住むべきか、私にはわからない。

ヒント： ・『疑問詞（**what, when, where, which, how etc.**）＋ **to V**』は、名詞の **chunk**（塊）として使われる。
その際、『〜すべき』という未来に向けた義務感のニュアンスが強い（例：　**when to start**　いつ始
めるべきか）。

(9) 彼はきっと激怒するわ。どうやってその話を切り出していいのか、教えて。

ヒント： ・**(8)** と同様、『疑問詞＋ **to V**』の形。『どうやって』とは、手段や方法を聞いている。
・激怒する　　**blow one's top**、**be furious**、**hit the ceiling**
・話を切り出す　　**open a conversation**、**bring up the subject**、**break the news**

(10) この神殿は、紀元前 7 世紀に建てられたと信じられている。

ヒント： ・〜だと信じられている　　**be believed to 〜**
・『信じられている』よりも、『建てられた』ほうが時間的に先行しているので、完了形不定詞（**to**
**have p.p.**）になる。また、『建てられた』という意味から、受動態になる点にも注意。
・神殿　　**temple**
・紀元前　　**B. C. (Before Christ)** →キリスト誕生以前、紀元前
　　　　　　**A. D. (Anno Domini)** →キリスト支配による年数

# *Unit 10*    準動詞を知れば表現力がグーンとアップ！—〜 ing の世界—

　中学校や高校では、別々の機会に、「be 動詞＋ ing で、『〜しているところです』という意味になります。これを『現在進行形』と言います」、「動詞の原形に ing を付けると、『〜すること』という名詞の働きをします。これを『動名詞』と言います」、「2 つの文のうち、一方の動詞を ing にすると、『〜しながら』『〜なので』『そして〜』といった意味になります。これを『分詞構文』と言います」と教わったことでしょう。だから、学習者は、「ing には、いろんな意味があるんだ」と思いがちです。でも、そうではないのです。どんな訳し方をしようと、ing は ing なのです。その根底にあるのは、すべて同じイメージです。

　では、ing の本質は何なのでしょうか？　それは、現在形・過去形といった単純形（例：eat・ate）や、to 不定詞（to V）にはない動的要素、つまり、『躍動感』『臨場感』『同時性 or 経験済』『部分性』です。『〜すること』（動名詞）であれ、『〜している』（現在進行形）であれ、『〜しながら』（分詞構文）であれ、その基本イメージは同じです。順次、見ていきましょう。

## 1．動名詞（〜すること）の **ing**

　先ずは、『〜すること』という動名詞からです。to 不定詞にも、『〜すること』という名詞用法がありましたね。同じく、動名詞も働きは名詞なので、主語（S）、目的語（O）、補語（C）になることができます。でも、そのニュアンスは違ってきます。

a. (1) <u>Talking</u> in the middle of the lecture is strictly prohibited.
（講演中の私語は、固く禁じられています）

(2) <u>To talk</u> in the middle of the lecture will be strictly prohibited.
（講演中の私語は、固く禁じられています）

b. (1) Now that you have graduated from university, you have to stop <u>depending</u> on your parents.
（大学を卒業したのだから、親に甘えるのはやめなさい）

(2) Now that you have graduated from university, it would not be proper any more <u>to depend</u> on your parents.
（大学を卒業したのだから、親に甘えるのはもう許されないよ）

などの文では、同じような訳し方をしても、動名詞には、to 不定詞にない『躍動感』『臨場感』『同時性 or 経験済』が感じられます。例えば、a の (1) では、実際に誰かが私語をしているのを注意している、あるいは、今まで私語があったことを意識しながら注意喚起しているといったニュアンスです。一方、a の (2) では、講演開始に先立って、『私語をすることは』『もし私語をするなら』と一般論や仮定を述べている雰囲気にピッタリです。b も同じです。(1) では、大学を卒業しても親に甘えるのをやめない子どもを、つまり、

124

甘えている最中の子どもを窘（たしな）めている情景が浮かんできます。他方、(2) では、大学を卒業したばかりの若者を前にして、『これから甘えることは』『もし甘えるなら』と、一般論や仮定の話をしているといった状況です。

　動名詞が持つ『同時性 or 経験済』といった特徴は、動名詞を目的語に取る動詞の特性にも表れています。enjoy（〜を楽しむ）、escape（〜から逃れる）、finish（〜を終える）、stop（〜をやめる）、mind（〜を気にする）、give up（〜を諦める）などの動詞は、to 不定詞でなく、動名詞を目的語に取ります。それは、『やっている最中の行為』や『既に着手した行為』しか楽しむことも、終えることも、逃れることもできないからです。

c. Being with such a guy really drains me.
　（あんな奴と一緒にいると、本当に疲れる）

d. My husband is good at <u>rubbing</u> people the wrong way.
　（夫の特技は、人の神経を逆なですることよ）

e. My wife's hobby is <u>telling</u> me endless stories with no conclusions or punchlines.
　（妻の趣味は、まったく結論やオチのない話を延々とすることだ）

なども同様です。a では『あんな奴と一緒に過ごした経験があること』、b では『夫に何度も神経を逆なでされた経験があること』、c では『結論やオチのない妻の話に何度も付き合わされた経験があること』を前提にしています。

　尚、動名詞にも、『意味上の主語』『否定の作り方（not や never の位置）』『完了形動名詞』『動名詞の受動態』等の論点がありますが、それらはすべて Exercises で紹介します。

## 2．現在分詞（〜している）の ing

　文法用語として、ing にはもう 1 つの呼び方がありましたね。『現在分詞』と言われているものです。例を挙げれば、

a. He <u>is cheating</u> on his wife.
　（彼は今、浮気をしている）

といった進行形で使われる ing です（もちろん、教科書にはこんな例文は出てきません。せいぜい、I'm studying English. / She <u>is cleaning</u> the room. といった良い子の例文です）。

　実は、これが中学校で教わる ing の初舞台ではないでしょうか。でも、もうお気付きですね？ ing が持つ『躍動感』『臨場感』『同時性 or 経験済』『部分性』がここにも表れています。つまり、話し手は、『彼は浮気をする奴だ』と静止画像的な事実を述べているのではありません（その場合は、He <u>cheats</u> on his wife. と単純形で表します）。彼がイケナイ行動を取っている最中である（躍動感・臨場感）、その行動は話している時点と時を同じくしているか、繰り返されてきた（同時性 or 経験済）、その不埒な行動はまだ終了していない（部分性）といった内容を ing が語っているのです。

　また、現在分詞は、名詞を前 or 後から限定（修飾）するものとして、あるいは、SVC / SVOC の C として使われますが、前述の基本イメージに変わりはありません。

b. He must have been adorable when he was a <u>sleeping</u> baby.
（眠っている赤ん坊の頃は、彼もきっと可愛かったにちがいない）

c. Look at that baby <u>smiling</u> in the cradle.  How cute!
（揺り籠で笑っているあの赤ん坊を見てみて。なんて可愛いのかしら！）

d. My husband remained <u>standing</u>, a paper in his hand from the insurance company.
（保険会社からの書類を手に持って、夫は立ったままでいた）

e. She hates her husband's <u>making</u> trashy complaints to the town office.
（彼女は、夫が町役場にくだらないクレームを付けているのが嫌だ）

sleeping, smiling, standing, making の何れにも、静止画像のような一般的事実を述べた文にはない『躍動感』『臨場感』が現れていますね。

## ３．分詞構文（〜しながら、〜なので、〜のとき、そして〜）の ing

　前述の現在分詞には、もう１つの用法があります。主として、一方の文や動詞を修飾する（つまり、副詞の働きをする）『分詞構文』と呼ばれているものです。でも、これも難しく考える必要はありません。特に、書き言葉において、記述的な接続詞に代わって、ing が『躍動感』や『臨場感』をもう一方の文に添える働きをしているのです。
　具体的に見ていきましょう。

a. (1) When she saw several uniformed men, she suddenly screamed.
　 (2) <u>Seeing</u> several uniformed men, she suddenly screamend.
　　　（数人の制服を纏った男たちを見たとき、彼女は突然、悲鳴を上げた）

b. (1) As she didn't know what to say, Yoshiko remained silent in the shop.
　 (2) <u>Not knowing</u> what to say, Yoshiko remained silent in the shop.
　　　（何を言っていいのかわからなかったので、佳子は店で黙っていた）

c. (1) Keishiro, as he cried on the inside, left Rio yesterday.
　 (2) Keishito, <u>crying</u> on the inside, left Rio yesterday.
　　　（景史郎は、心で泣きながら、昨日リオを去った）

d. (1) Junko came in the dining room and asked for a heaping bowl of rice.
　 (2) Junko came in the dining room, <u>asking</u> for a heaping bowl of rice.
　　　（純子は食堂に入って来て、山盛りのご飯が欲しいと言った）

　a〜d の (2) は、接続詞（when, as, and）を使った (1) の文を、分詞構文で書き換えたものです。会話では、声に強弱や抑揚を付けたり、顔の表情やジェスチャーなどで、『躍動感』や『臨場感』を出すことが可能ですが、書き言葉では、文字に現れた部分でしか判断できません。一般に、接続詞を用いた表現は記述的な印象を与えるため、特に書き言葉では、『動的雰囲気』を醸し出すために、ing（分詞構文）が使われたりするのです。

　また、分詞構文は、文頭・文中・文尾のどこに置くことも可能です。一般的傾向として、文頭や文中のほうが、『躍動感』や『臨場感』が表現できます。これは、文尾に置かれる分詞構文が、and ～という記述的なニュアンスになることが多いためかもしれません。

　さて、分詞構文にもいくつか規則があります。これも併せて、次の Exercises で練習しましょう。

### Exercises

1. 『～すること』と訳される動名詞（～ **ing**）にも、重要なルールがある。各問のヒントを参考にして、次の（　）内に適切な語を入れよ。

(1)  Do you (　) (　) (　) the window?  It's so hot.

　　（窓を開けてもいいですか？とても暑いです）

　　　ヒント： ・**mind**（～を気にする）を使う。
　　　　　　　・文の主語と動名詞の主体が異なるときは、動名詞の前に意味上の主語が必要。意味上の主語が代名詞（**I, you, he, she, etc.**）のときは、所有格で表す。但し、他動詞の後では目的格が自然に感じられるので、それ（目的格）が使われることも多い。尚、意味上の主語が名詞句（**every one of them, a friend of mine, etc.**）や物の場合は、そのままの形を使う。

(2)  What is expected of Mr. Fujino now is (　) (　) any sign of (　) in the meeting.

　　（藤野氏に求められることは、会議で尻込みする気配を見せないことだ）

　　　ヒント： ・動名詞と否定詞（**not, never**）との位置関係は？ → 否定詞が動名詞の前に置かれる。
　　　　　　　・前置詞の目的語に **to** 不定詞は不可。動名詞は可。
　　　　　　　・尻込みする　　**flinch**

(3)  Takahiro didn't like (　) (　) like Atsuko's younger brother.

　　（崇洋は、敦子の弟のように扱われるのが気に入らなかった）

　　　ヒント： ・**like ～ ing**　　～するのが好きだ、～を気に入っている
　　　　　　　・**treat ～**　　～を扱う → 崇洋は『扱う』のか、『扱われる』のか？『態』に注意。**to** 不定詞に受動態があるように、動名詞にも受動態がある。

(4)  My husband was proud of (　) (　) (　) (　) wealthy.

　　（夫は、祖父が金持ちだったことを自慢していた）

　　　ヒント： ・述語動詞（ここでは、**was**）よりも、動名詞が時間的に先行していることを表すには、『完了形動名詞』（**having p.p.**）を用いる。
　　　　　　　・本問では、文の主語（**husband**）と動名詞の主体が異なるので、動名詞の意味上の主語が必要。その形と位置は？
　　　　　　　・**wealthy**　　裕福な

(5)  Masafumi (　) (　) the bet.

　　（正史は賭けに負けたことを認めた）

　　　ヒント： ・**admit ～ ing / having p.p. ～**　　～したことを認める
　　　　　　　→ **admit**（～したことを認める）、**deny**（～したことを否定する）、**regret**（～したことを後悔する）などの語は、その意味から時間的前後関係が明白なので、目的語に完了形動名詞（**having p.p.**）を使わなくてもよい（使うこともできる）。尚、**remember**（～したことを覚えている）と **forget**（～したことを忘れる）については、その目的語は単純形（～ **ing**）のみで、完了形動名詞は不可。

２．文に『躍動感』や『臨場感』を与えてくれる分詞構文（〜 **ing**）にも、重要なルールがある。各間のヒントを参考にして、次の（　）内に適切な語を入れよ。

(1) （　）（　）（　）（　）（　）, his wife had to grin and bear it.
（どうしいいのかわからなかったので、彼の妻は我慢するしかなかった）

　　ヒント： ・分詞構文と否定詞（**not, never**）との位置関係は？→ 否定詞が分詞構文の前に置かれる。
　　　　　　 ・どうしていいのか→『何をすべきか』と考える（疑問詞＋ **to V**）。
　　　　　　 ・**grin and bear it**　笑ってそれに耐える→（笑って）我慢する。

(2) Keishiro recognized Yumiko at once at Narita, （　）（　） her several times in her twenties.
（由美子が 20 代のときに何度か会ったことがあるので、景史郎は成田ですぐに彼女だとわかった）

　　ヒント： ・分詞構文が述語動詞（ここでは、**recognized**）よりも以前に起きたことを表すときは、『完了形分詞構文』（**having p.p.**）を用いる。形は『完了形動名詞』と同じ。
　　　　　　 ・**recognize 〜**　　〜だと認識する→『〜だとわかる』という意味。
　　　　　　 ・**at once**　『一度の機会に』『時を違（たが）わずに』ということから、『すぐに』『即座に』という意味で多く使われる。
　　　　　　 ・**in one's twenties**　20 代のとき

(3) Masafumi couldn't find Chiharu at Kokura Station, （　）（　）（　） her for more than twenty years.
（20 年以上も会っていなかったので、小倉駅で正史は千春を見つけることができなかった）

　　ヒント： ・述語動詞（ここでは、**couldn't find**）と分詞構文の時間的前後関係に注意。また、ここでは否定詞（『経験』を表しているので、**never**）が必要。但し、完了形分詞構文の場合は、否定詞（**not, never**）は **ing** の前後どちらも可（**never** having p.p. / having **never** p.p.）

(4) （　）（　） that angle, the former actress seemed to be shedding crocodile tears at the funeral.
（あの角度から見ると、元女優は、葬儀で嘘泣きをしているようだった）

　　ヒント　 ・主語の元女優は『見る』のか、『見られる』のか？『態』に注意。尚、分詞構文の受動態は **being p.p.** となるが、**being** は通例、省略される。
　　　　　　 ・**former 〜**　元〜（他に、**ex- 〜**も可→ **ex-boyfriend**『元カレ』）
　　　　　　 ・嘘泣きをする　**shed crocodile tears** →『ワニは獲物を誘き寄せるときや、食べるときに涙を流すが、それは獲物を哀れに思って泣いているのではない』という逸話から。

(5) （　）（　） stormy on that day in Tokyo, Akiko couldn't go out anywhere.
（その日の東京は嵐模様だったので、晶子はどこにも出かけられなかった）

　　ヒント　 ・分詞構文では、その主体（『意味上の主語』）を文の主語（ここでは、**Akiko**）と一致させるのが原則だが、文によっては、それができない場合がある。このような分詞構文は『独立分詞構文』と呼ばれ、**ing** の前に意味上の主語を置く必要がある。
　　　　　　 ・『時刻』『天候』『距離』『明暗』『寒暖』などを表す際に用いられる主語は何か？
　　　　　　 ・**stormy**　嵐模様の

３．各間のヒントを参考にし、動名詞または分詞（『過去分詞』を含む）を使って日本語を英訳せよ。

(1) 美貌と資産を鼻にかけている兄嫁は、輸入品をたくさん持っている。

　　ヒント： ・他動詞の **import** は、『〜を輸入する』という意味。では、**import** と **goods**（品物）の関係は？つまり、**importing goods** か **imported goods** か？
　　　　　　 ・〜を鼻にかける　**be vain about 〜**
　　　　　　 ・美貌と資産　**one's beauty and wealth**

(2) 洞窟に隠された宝物を見つけるつもりだって？　頭、おかしいよ！

　　ヒント：　・他動詞の **hide** は、『～を隠す』という意味。では、**hide** と **treasure**（宝物）の関係は？つまり、**hiding treasure** か **hidden treasure** か？
　　　　　　　・洞窟　　**cave**

(3) 誰かがノックする音が聞こえるよ。

　　ヒント：　・**hear O C**　　**O** が **C** するのが聞こえる → **someone = knocking** なのか、**someone = knocked** なのか？
　　　　　　　・**knock on the door**　　（ドアを）ノックする

(4) 正史に酒を止めるように説得しても無駄だ。

　　ヒント：　・**It is no use ～ ing / It is no good ～ ing** で、『～しても無駄だ』という意味の慣用フレーズ。この **It** は形式主語（仮主語）であり、**～ ing** 以下の部分が真主語。尚、ここでの **use / good** は『効用』（役に立つこと）という意味の名詞。但し、**no** が付いているので、『０×効用＝まったく役に立たない』となる。
　　　　　　　・**A** に～を止めるように説得する　　**talk A out of ～ ing** → この **～ ing** は、前置詞（**of**）の目的語になっている動名詞。尚、『**A** に～するように説得する』は、**talk A into ～ ing** となる。同じく、この **～ ing** も、前置詞（**into**）の目的語になっている動名詞。

(5) 景史郎を見るや否や、その元客室乗務員は泣き崩れた。

　　ヒント：　・～するや否や　　動名詞を使えば、**on ～ ing** となる→『（面的な）接触』を基本イメージとする前置詞 **on** が、動名詞（～すること）と接触したパターン。つまり、『～することと（時間的に）接触して』→『～するや否や』となる。
　　　　　　　・泣き崩れる　　**burst into tears, burst out crying**

(6) 東京での思いがけない大雪のため、彼女は新幹線に乗れなかった（**keep** を用いて）。

　　ヒント：　・**keep A (from) ～ ing** で、『**A** に～させない』という意味→ 前置詞 **from** の基本イメージは『起点』であり、『**A** をそこから離れた状態にしておく（**keep**）』→『**A** に～させない』となる。
　　　　　　　・思いがけない　　**unexpected**（『予期されていなかった』という意味）

(7) かおるは、満面笑みを浮かべながら、彼の元へ駆け寄った。

　　ヒント：　・満面笑みを浮かべる　　**be all smiles**、**with a big smile on one's face**、**smile from ear to ear** などがある。
　　　　　　　・～へ駆け寄る　　**run up to ～ , rush over to ～**

(8) 一人にされると、夫はドカ食いをしてしまう。

　　ヒント：　・**be left to oneself**　　一人にされると → 分詞構文の受動態では、**being** が省略されるのは前述のとおり。
　　　　　　　・ドカ食いをする　　**go on an eating binge**

(9) 前任者と比べると、敦の事務処理能力はずば抜けて高い。

　　ヒント：　・～と比べると　　**compare** を用いる（慣用フレーズ化された分詞構文）。
　　　　　　　・前任者　　**predecessor**
　　　　　　　・ずば抜けて高い　　**be outstanding**
　　　　　　　・事務処理能力　　**office skills, paperwork**

(10) 妻は風に髪を靡かせ、夕日を見つめていた。

　　ヒント：　・髪が風に靡く→ **one's hair waves / streams in the wind.** を分詞構文に。あるいは、前置詞 **with** を用いても表現可。『～と一緒に』を表す **with** は、『～の状況と一緒に』という意味の付帯状況を表すことができるため。ここでは、『髪が風に靡いている状況で』という意味。
　　　　　　　・～を見つめる　　**gaze at ～**

イアン
（Part 1著者、Part 2校正）

 永本（Part 2著者）

 町田（Part 1著者）

 ゆかわ（イラストレータ）

 八木（Part 1著者）

 加藤（編集者）

| Dear Learners   Drop Everything And Read | | [B-900] |
| --- | --- | --- |
| 英語の世界へ踏み出そう | | |

| 1　刷 | 2020年　3月 16日 |
| --- | --- |
| 3　刷 | 2023年　8月 31日 |

| 著　者 | 永本　義弘 | Nagamoto Yoshihiro |
| --- | --- | --- |
| | 町田　純子 | Machida Junko |
| | 八木　茂那子 | Yagi Monako |
| | イアン・エルズワース | Ian E. Ellsworth |

発行者　南雲　一範　Kazunori Nagumo
発行所　株式会社　南雲堂
〒162-0801　東京都新宿区山吹町361
NAN'UN-DO Co., Ltd.
361 Yamabuki-cho, Shinjuku-ku, Tokyo 162-0801, Japan
振替口座：00160-0-46863
TEL: 03-3268-2311（営業部：学校関係）
　　　 03-3268-2384（営業部：書店関係）
　　　 03-3268-2387（編集部）
FAX: 03-3269-2486

編集者　加藤　敦

製　版　KA

イラスト　ゆかわれい（表紙・本文）
　　　　　埼玉工業大学 オリジナルキャラクター「フカニャン」
　　　　　　　　　　　　　　（Reading Sections アイコン）

装　丁　Nスタジオ

検　印　省　略

コード　ISBN 978-4-523-17900-9　C0082

E-mail　nanundo@post.email.ne.jp
URL　https://www.nanun-do.co.jp/

Q & A で見える本当の英語の仕組み

# 教えて欲しかった、こんな英語

永本義弘著

並製 A5 判 定価（本体 1,400 円＋税）

読めて、書けて、話せる、使える英語

これだけは知っておきたい

## 基本法則

Q. 現在時制が表す「現在の事実」って何？

Q. 進行形は「〜しているところ」じゃないの？

Q.「時制の一致」ってどういうときに起きるの？

Q. どうして「〜するために」が「そして〜」になるの？

教えて欲しかったこんな英語 Ⅱ

# 冠詞と基本動詞が わかれば、 英語がわかる

並製 A5 判 定価（本体 1,300 円＋税）　永本義弘著

単語の根幹がイメージできれば
英語がもっと楽しくなる！！
「やり直しの英語」
に役立つ英語語学書！

『その本誰が買ったの？』の「その」は
"the" それとも "that"？
Who bought the book?
Who bought that book?
何が違うの？ "going" と "coming"
I'm going to his party.
I'm coming to his party.

南雲堂